S0-ARH-705

OUR *Spanish* HERITAGE

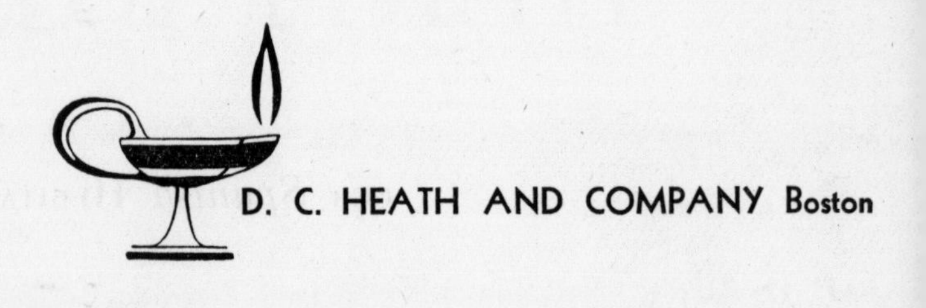
D. C. HEATH AND COMPANY Boston

OUR *Spanish* HERITAGE

LOUIS LIST · Polytechnic High School, Riverside, California

Printed in the United States of America (5 F 3) Offices:
BOSTON NEW YORK SAN FRANCISCO CHICAGO ATLANTA
DALLAS LONDON

 To my past and present pupils

PREFACE

Our Spanish Heritage deals with Spain in the continental United States of America and contains stories about Florida — the jumping-off place, so to speak, of Ponce de León, Cabeza de Vaca, Hernando de Soto — and about our Southwest: California, Arizona, New Mexico, and Texas. The only story outside these confines is *Desde la cumbre del Darién*, but who would deny that the Canal Zone is part of our country? Furthermore, what would the map of the United States look like without California, Oregon, Washington, and, for good measure, Alaska? *Desde la cumbre del Darién* is about the discovery of the Pacific Ocean.

In the stories of the explorations and exploits of Hernando de Soto and Francisco Vázquez de Coronado, other states are mentioned in addition to those of the Southwest and Florida because of historic accuracy and also to show how deeply those explorers penetrated into what is now the South and the Midwest and how daring those Spaniards were, even though they were motivated by gold and glory. There are many historic "ifs," two of which deserve mentioning. What would have been the result if Coronado and de Soto had met? What would have been the fate of the Pacific slope if the Spaniards had not colonized California? These stories, however, do not deal with conjectural ifs and speculative consequences. They are written for the amusement and information of the reader and contain both fact and fancy. The facts are the irrefutable data recorded in history; the legends that are interwoven into the stories show the folklore, the imaginative qualities of those peoples whom the Spaniards found in North America. That the field has not been exhausted is easily discerned by the extensive folklore research that has been and still is being carried on.

The stories are informal. They are intended to arouse the interest of the student in our Spanish heritage without heaping praise upon or finding fault with Spain and her institutions in the time of Spain's greatest glory. Let the exploits of the conquistadores and the deeds of the padres speak for themselves. However, it is not a history book; it is primarily a reader and is designed to meet the needs of beginners and to supplement the grammar used in the first two years of high school or the first year of college Spanish. With that view in mind, the vocabulary, with the exception of words indispensable to the story, is limited to the first 1500 words in M. A. Buchanan's *Graded Spanish Wordbook* and the more frequently used idioms in Hayward Keniston's *Spanish Idiom List.* The subjunctive mood is entirely omitted, and the first few stories are in the present indicative to encourage reading at an early stage. The exercises are purposely placed at the end of the book, so that the classroom teacher may at his own discretion use the book either as supplementary reading material or as an aid in the teaching of comprehension.

The author is deeply indebted to Professor Antonio Heras of the University of Southern California for having read the manuscript, and to Dr. José Padín, Editor in chief, and to Dr. Vincenzo Cioffari, Modern Language Editor of D. C. Heath and Company for valuable criticism.

Louis List

CONTENTS

ILLUSTRATIONS

OUR *Spanish* HERITAGE

En busca de la juventud eterna

A gallant Spanish nobleman had heard that the secret of Eternal Youth lay hidden in one of the many islands of the New World. He set out on a long journey in search of the coveted treasure. He visited many islands, bathed in their streams, and drank the water of their springs. Did he find the Fountain of Youth? Read the story and see for yourself.

1

Hoy vamos a visitar al valiente descubridor Juan Ponce de León. Le encontramos en su palacio de Puerto Rico hablando con sus amigos. Él no habla de su viaje con Colón en 1493 (mil cuatrocientos noventa y tres). Tampoco habla de la conquista de Puerto Rico. La conversación es muy animada y trata de la prolongación de la vida humana y de la juventud eterna.

— Pues, este asunto de la juventud eterna — dice Ponce de León — es cosa sencilla. Por todas partes [1] vemos indios que viven muchos años. Muchos de ellos son robustos y fuertes a pesar de [2] su edad avanzada. Todo esto es debido a una fuente cuya agua contiene el secreto de la vida.

— Pero — interrumpe uno de sus compañeros — desde tiempo muy antiguo el hombre trata de [3] prolongar la vida humana, mas sin éxito práctico alguno.

— Esto no quiere decir [4] nada — responde Ponce de León. — Aquí en esta misma isla tenemos la prueba. ¿Cuánto tiempo hace [5] que el hombre trata de descubrir

[1] **Por todas partes,** Everywhere. [2] **a pesar de,** in spite of. [3] **tratar de** + *inf.*, to try + *inf.* [4] **querer decir,** to mean, signify. [5] **¿Cuánto tiempo hace?** How long since?

COURTESY ST. AUGUSTINE AND ST. JOHN'S COUNTY CHAMBER OF COMMERCE

The Fountain of Youth in St. Augustine stands as a symbol of the beginning of new life and opportunities for millions of Europeans. Four centuries ago it was a challenge toward new explorations and discoveries for Spaniards under the leadership of Juan Ponce de León.

una ruta directa a las Indias? Gracias a[1] Colón ya tenemos esta ruta. Con todos los otros descubrimientos pasa lo mismo. Alguien tiene que[2] resolver el secreto por primera vez.[3] ¿Qué me importan[4] a mí los pensamientos de los demás? Los indios me dicen que existe una isla llamada *Biminí*. Esta isla contiene el secreto y ¡esa isla la voy a descubrir yo! 5

—¿Dónde está esta isla maravillosa? —le preguntan sus compañeros.

—Esto no lo sé todavía. Pero con el permiso del rey voy a visitar todas las islas cercanas. Voy a bañarme en sus ríos y a beber de sus fuentes. Una de estas islas ha de[5] ser Biminí. 10

2

Más tarde encontramos a Ponce de León en las islas Bahamas. Todavía busca a Biminí. Se baña en los ríos, bebe de sus aguas, pero no encuentra la Fuente de la Juventud Eterna. Con cada desengaño el descubridor se hace[6] más viejo y más débil, y sus compañeros se sienten más descontentos. A veces[7] se burlan de[8] él. Ponce de León parece un poco preocupado pero está resuelto a no abandonar su idea. 15 20

—Claro está —dice uno de sus compañeros— que la Fuente de la Juventud Eterna no existe. Todos estos cuentos de Biminí parecen leyendas.

—¡Cómo que no existe![9] —contesta Ponce de León un poco indignado. —La fuente sí existe, pero hay que[10] buscarla. Es evidente que Biminí no va a subir a bordo de nuestro barco para decirnos: «Aquí me tienen ustedes a sus órdenes.»[11] ¡Hay que buscarla! 25

—Más vale[12] no buscar aventuras hoy. Ya hace mucho 30

[1] **Gracias a,** Thanks to. [2] **tener que** + *inf.*, to have to . . . [3] **por primera vez,** for the first time. [4] **¿qué importa?** what does it matter? [5] **haber de** + *inf.*, to have to . . . [6] **hacerse,** to become. [7] **A veces,** At times. [8] **burlarse de,** to make fun of. [9] **¡Cómo que no existe!** What do you mean it does not exist! [10] **hay que** + *inf.*, one must . . . [11] **Aquí me tienen ustedes a sus órdenes,** Here I am at your service. [12] **Más vale,** It is better.

tiempo que andamos por estos mares desconocidos sin descansar. Además, no hay que olvidar que hoy es día santo; hoy es el día de Pascua Florida.

— Tiene usted razón,[1] amigo mío. Pero, ¿ qué es esto que
5 veo delante de nosotros ? Parece una isla enorme.

En verdad,[2] la costa del continente americano se ve a plena vista. El clima agradable y la rica y verde vegetación recuerdan a uno la juventud eterna, pero no del modo que la imagina Ponce de León.

10 — ¡ Qué cosa más extraña ! [3] — exclama el descubridor. — En el día de Pascua Florida descubrimos una isla que parece estar toda en flor. ¡ Vamos a llamarla *Florida !*

Por lo pronto [4] Ponce de León abandona su plan original. Desembarca sólo para proclamar la « isla » territorio es-
15 pañol y se apresura a [5] volver a España.

En 1521 (mil quinientos veintiuno), vuelve a [6] desembarcar en la Florida con objeto de conquistarla. En el primer encuentro con los seminolas, nuestro héroe cae herido. Sus compañeros lo llevan a Cuba para salvarle la
20 vida, pero es demasiado tarde. Al [7] llegar allí, el valiente soñador muere a la edad de sesenta y un años.

[1] **tener razón,** to be right. [2] **En verdad,** In fact. [3] **¡ Qué cosa más extraña !** How strange ! [4] **Por lo pronto,** For the time being. [5] **apresurarse a** + *inf.*, to hasten + *inf.* [6] **volver a** + *inf.*, to repeat an act, do it again. [7] **al** + *inf.*, on + *gerund.*

Desde la cumbre del Darién

Compare farming, debts, and boredom with adventure, wealth, and romance. Which would you choose? Balboa chose the latter and became one of the most daring adventurers of all times. From a poor unknown colonist this Spaniard rose to a position second only to that of Columbus. Read the story of this stowaway who hid in a barrel to avoid his creditors and who later gained fame as the discoverer of the Pacific Ocean. What a fascinating life! What a tragic end!

1

Vamos a detenernos un poco en la isla Española en 1510 (mil quinientos diez). Martín Fernández de Enciso está haciendo los últimos preparativos para irse a San Sebastián. Entre los barriles llevados a bordo del barco hay uno que no contiene ni provisiones ni [1] armas, sino un ser humano. Éste es Vasco Núñez de Balboa. 5

De la juventud de Vasco Núñez de Balboa, descubridor del Pacífico, poco sabemos. Sólo sabemos que viene de una familia pobre de Extremadura, España, y que es muy aficionado a [2] las aventuras. También sabemos que son pocos los que le igualan en el manejo de la espada. En fin,[3] es un típico representante de los conquistadores del siglo XVI. 10

A la edad de veinte y cinco años le encontramos en las Indias en busca de oro y de perlas. Debido a varias dificultades, Balboa abandona sus aventuras y se establece en la Española con objeto de dedicarse a la agricultura. 15

[1] **no . . . ni . . . ni, . . .** neither . . . nor. [2] **ser aficionado a,** to be fond of.
[3] **En fin,** In short.

Claro está que un hombre que sueña con [1] riquezas y conquistas no puede acostumbrarse a tal vida. Dentro de poco [2] se encuentra lleno de deudas y perseguido por sus acreedores. El resto no es difícil de adivinar.

5 Cuando el barco ya está lejos de la Española, Balboa sale de su barril y se presenta ante Martín Fernández de Enciso y sus compañeros.

— ¿Qué hace usted a bordo de este barco? — le pregunta Enciso muy indignado.

10 — Por lo pronto, nada — contesta Balboa con calma. — Pero nadie sabe lo que puede suceder en un viaje por mar. Aquí me tienen ustedes a sus órdenes. Estoy dispuesto a servirles.

— No necesitamos sus servicios ni los pedimos — dice 15 Fernández. — Al pasar la primera isla le vamos a dejar allí.

Después de un largo debate, Enciso y sus compañeros deciden llevar a Balboa a San Sebastián. Al llegar allí encuentran la colonia quemada por los indios y abandonada 20 por los españoles. Los pocos sobrevivientes de la colonia están en un barco cerca de la costa. Nuestros viajeros se encuentran en un gran apuro. ¿Qué hacer ahora? [3]

Afortunadamente, éste no es el primer viaje hecho por Balboa a la América Central. Él conoce bien toda aquella 25 región y se aprovecha de su conocimiento para adelantar su plan.

— Yo conozco un lugar, — dice Balboa — no muy lejos de aquí, donde hay bastantes alimentos y donde los indios no son tan salvajes como los de aquí. ¿Quieren ustedes 30 ir allá?

— ¡Allá vamos! [4] — dicen todos a la vez.[5]

Así pasa que el hombre, perseguido y despreciado hasta hace poco,[6] ahora toca a las puertas de la fama y de la riqueza.

[1] **soñar con,** to dream of. [2] **Dentro de poco,** Within a short while. [3] **¿Qué hacer ahora?** What's to be done now? [4] **¡Allá vamos!** Let's go there! [5] **a la vez,** at the same time. [6] **hasta hace poco,** until a short time ago.

La colonia de San Sebastián se traslada al otro lado del Golfo de Urabá. Allí los españoles establecen una nueva colonia que llaman *Santa María la Antigua del Darién.*

La conducta y el valor de Balboa le ganan el respeto y la confianza de sus compañeros. Dentro de poco rechazan 5 a Enciso y nombran a Balboa jefe de la nueva colonia. Ahora le toca [1] a él realizar sus sueños.

Desde luego [2] hace una alianza con Careta, uno de los jefes de aquel lugar. Poco más tarde hace otra con Comagre, el jefe más poderoso de aquella región. 10

Comagre recibe bien a Balboa y le da mucho oro y setenta esclavos. También le presenta a sus siete hijos. Uno de ellos, Panquiaco, observa que los españoles hacen mucho caso [3] del oro, y dice:

— Por lo visto,[4] ustedes hacen tanto caso de este metal 15 que hasta abandonan su tierra y luchan por él. Pues, yo conozco un lugar donde hay muchísimo de este metal amarillo. En verdad, hay tanto que los habitantes lo transforman en vasijas para sus usos más comunes.

— ¿ Dónde se encuentra ese sitio ? — le pregunta Balboa. 20

— Al otro lado de las sierras hay un mar. Hacia el sur, cerca del mar, es donde ese lugar se encuentra.

Éstas son las primeras noticias recibidas por los españoles acerca del Perú. Hay que añadir que entre los españoles de la colonia se encuentra Francisco Pizarro, el futuro con- 25 quistador del imperio inca.

Mientras tanto,[5] Enciso llega a España y presenta sus quejas ante el rey. Vienen noticias a Balboa de que el rey está decidido a reemplazarle. Ahora le toca a Balboa obrar. Todos sus sueños, sus esperanzas, su libertad y hasta su 30 vida están en peligro. Su única salvación depende del éxito en descubrir nuevas tierras y conquistarlas para el rey. Con setenta personas Balboa se dirige hacia las montañas.

[1] **le toca,** is his turn. [2] **Desde luego,** At once. [3] **hacer caso,** to pay attention, make a fuss. [4] **Por lo visto,** Evidently. [5] **Mientras tanto,** In the meantime.

With sword raised and banner lowered, Balboa proudly proclaims the immense South Sea and all the lands bordering upon it territory of the Spanish Crown.

Después de muchas dificultades, el pequeño grupo se acerca a la cumbre de la sierra. El grupo se detiene y sólo Balboa sube a la cumbre. Desde allí, solo y en silencio profundo, contempla por primera vez el más grande de los mares. Después de unos minutos, hace subir a sus compañeros y les dice: 5

— Allí ven ustedes, amigos míos, el objeto de nuestros deseos y el premio de tantos sacrificios. Delante de nosotros está el mar que sin duda encierra las riquezas más grandes del mundo. Ustedes son los primeros en disfrutar 10 de su inmensa gloria y de sus inmensas riquezas.

Cuatro días más tarde, nuestros aventureros se encuentran a la orilla del Mar del Sur. Balboa, con la espada en una mano y la bandera de España en la otra, entra en el agua hasta las rodillas y en voz alta [1] exclama: 15

— Yo, Vasco Núñez de Balboa, en el nombre de los altos y poderosos reyes de España, tomo posesión de estos mares y de estas regiones. Si cualquier otro pretende algún derecho sobre ellos, yo estoy dispuesto a defenderlos.

Sin embargo,[2] Balboa no disfruta de sus descubrimientos. 20 El nuevo gobernador lo condena a muerte. Así sucede que uno de los más grandes españoles, Balboa, muere a la edad de cuarenta y dos años en la misma colonia establecida por él.

[1] **en voz alta,** aloud. [2] **Sin embargo,** Nevertheless.

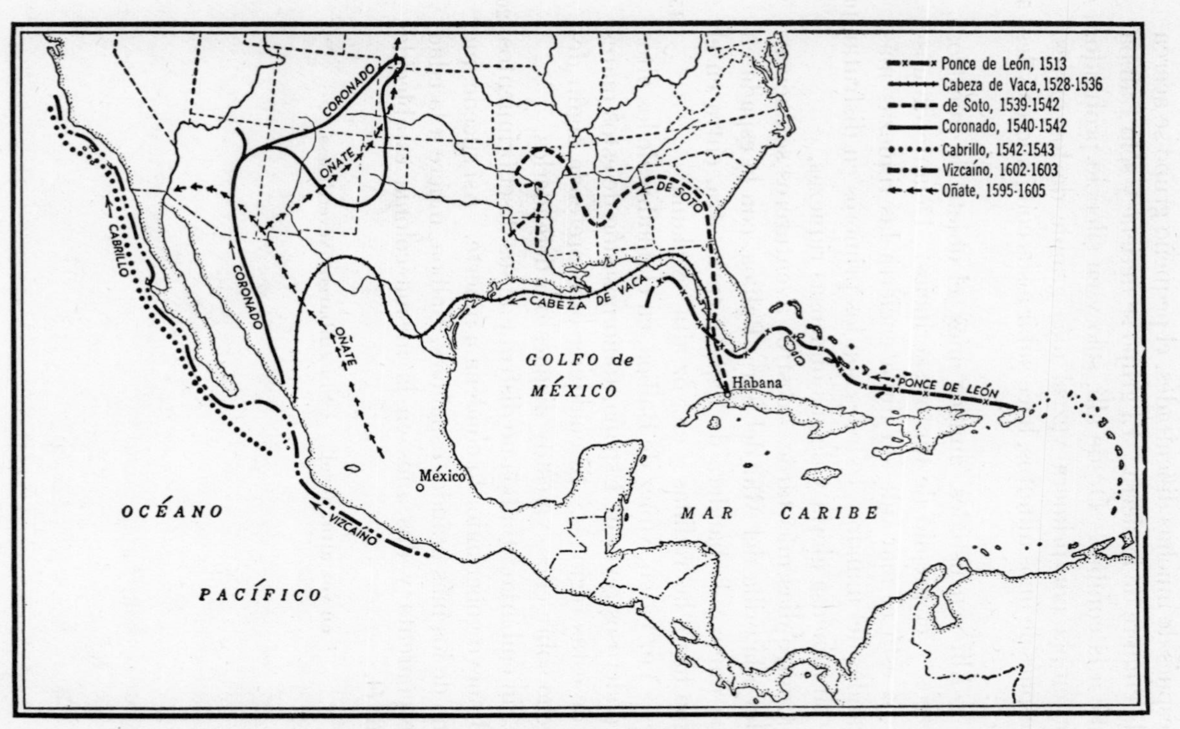

Approximate routes of the Spanish explorers.

A través del continente americano

Seemingly endless plains, unfriendly Indians, hunger and privation stared Cabeza de Vaca in the face as he survived shipwreck off the Florida Coast in 1527. With only the sun as a guide and his wits as a counselor, he plodded along ceaselessly for eight years and finally reached safety in a Spanish colony on the Pacific Coast. Meet the first globe trotter on the American soil and read the strange accounts of his exploits.

1

A la caída de la tarde, cerca del Río Colorado, un pequeño grupo de indios hace preparativos para pasar la noche. Entre ellos se encuentra un hombre blanco, desnudo y descalzo como los indios. Por el pesado trabajo y por el hambre que sufre, parece más un esqueleto que un 5 ser humano. Este hombre es Álvar Núñez Cabeza de Vaca. De la expedición de Pánfilo de Narváez en 1527 (mil quinientos veinte y siete) en la Florida, él es uno de los pocos sobrevivientes.

No muy lejos de allí, al otro lado del río, otro grupo de 10 indios pasa la noche. Entre ellos encontramos tres esclavos extranjeros. Dos de ellos son españoles y se llaman[1] Alonso del Castillo y Andrés Dorantes. El tercero es un moro llamado Estebanico.

Gracias a la amistad de un indio, el encuentro de estos 15 cuatro esclavos tiene lugar.[2]

— ¡ Qué milagro ! [3] — exclama Cabeza de Vaca entre risas y lágrimas. — ¡ Qué milagro encontrarlos a ustedes vivos ! ¿ Dónde están los demás compañeros ?

[1] **llamarse,** to be named, called. [2] **tener lugar,** to take place. [3] **¡ Qué milagro !** What a miracle !

— Por lo visto — contesta Alonso del Castillo — nosotros somos los únicos que quedamos entre los vivos. Los demás descansan ya en el fondo [1] del mar o debajo de esta maldita tierra.

— En vez de [2] adquirir riquezas, fama y esclavos — dice Estebanico, el moro — ¿ qué es lo que tenemos ? Somos esclavos y estamos en peligro constante de perder la vida.

— Esto no es ni vida ni muerte — interrumpe Andrés Dorantes. — Más vale no vivir. Nos tratan muy mal y todo el tiempo sufrimos hambre y sed. ¡ Qué suerte más mala ! [3]

— En vez de quejarnos — dice Cabeza de Vaca — más vale darle gracias a Dios por habernos salvado la vida. Yo de mi parte les aseguro que hoy es el día más alegre de mi vida. La única cosa que nos queda por hacer es escapar y regresar a nuestra tierra.

— ¿ Escapar ? — preguntan los tres con asombro.

— Sí, compañeros, escapar. La estación de las frutas se acerca, y mientras los indios recogen frutas nosotros podemos huir.

— Nos van a perseguir y a matar.

— No hay cuidado.[4] Los indios piensan que nosotros tenemos poderes mágicos para curar a los enfermos. Con el oficio de médicos, nadie nos va a molestar. ¿ Están ustedes de acuerdo? [5]

— Sí, señor, estamos de acuerdo.

En la obscuridad de la noche, nuestros viajeros se ponen en camino [6] hacia donde se pone el sol.[7]

2

La fama de los cuatro « médicos mágicos » aumenta a cada paso.[8] Los indios ahora los tratan bien y les dan todo lo que poseen. De todas partes vienen enfermos a curarse.

[1] **en el fondo,** at the bottom. [2] **En vez de,** Instead of. [3] **¡ Qué suerte más mala !** What bad luck ! [4] **No hay cuidado,** There is no danger. [5] **estar de acuerdo,** to agree. [6] **ponerse en camino,** to set out. [7] **hacia donde se pone el sol,** toward the west (where the sun sets). [8] **a cada paso,** rapidly.

Sin embargo, nuestros viajeros no quieren quedarse en un lugar fijo. A pesar de la amistad que los indios les muestran, nuestros héroes no piensan en [1] otra cosa más que [2] en seguir la marcha.

Al principio [3] sólo Cabeza de Vaca ejerce el oficio de curandero, pero con el aumento de los enfermos, los otros también se hacen « médicos ». Pero no lo hacen de buena gana.[4] Temen un castigo de Dios. Cabeza de Vaca es el único que sigue su nuevo oficio sin vacilar. Él está seguro de que ésta es la única manera de salvar su vida así como la de sus compañeros. Además, cree que lo que hace es porque así lo desea Dios. La manera de curar es muy sencilla y no hay que asistir a [5] ninguna escuela para aprenderla. Consiste en [6] recitar un padrenuestro y una avemaría, en bendecir a los enfermos y en suplicar a Dios por la salud de ellos.

Seguro está que si estos remedios no pueden curar a todos los enfermos, tampoco les pueden hacer daño.

De los animales que Cabeza de Vaca encuentra en el camino, la descripción de las « vacas » es quizás la mejor. Aquí está la primera y muy exacta descripción del búfalo norteamericano:

« Creo que son del mismo tamaño que las vacas de España. Tienen cuernos pequeños como las vacas de Marruecos. Su pelo es muy largo y se parece al [7] de los carneros merinos. A mi parecer,[8] la carne de estas vacas es mejor que la de las de España. De las pieles los indios hacen cubiertas y zapatos (mocasines). »

Nuestros viajeros van siempre acompañados de muchos indios. Al abandonar los españoles un pueblo para seguir su marcha, los indios los acompañan hasta el próximo pueblo, los dejan allí y regresan a sus propias casas. Así continúa la marcha con sólo el sol para guiarlos. Pasan por todo el estado actual de Texas en los Estados Unidos

[1] **pensar en,** to think about. [2] **no . . . más que,** only. [3] **Al principio,** At the beginning. [4] **de buena gana,** willingly. [5] **asistir a,** to attend. [6] **consistir en,** to consist of. [7] **parecerse a,** to look like, resemble. [8] **A mi parecer,** In my opinion.

y por los estados actuales de Chihuahua, Sonora y Sinaloa en la República Mexicana. Al llegar a la costa del Pacífico, oyen decir [1] que un grupo de españoles anda por aquellas partes.

5 Al fin,[2] después de andar por ocho años, atravesando el continente americano desde el Atlántico hasta el Pacífico, nuestros viajeros se encuentran con españoles otra vez.

[1] **oír decir,** to hear. [2] **Al fin,** Finally, At last.

A orillas del Misisipí

Glory, fame, and wealth were already his when he returned to Spain from Perú. But the lure of adventure was too strong to resist. Beyond the Atlantic lay the endless wastes of North America waiting for a conqueror. No one was better equipped for this arduous task than Hernando de Soto. Here is a story that for daring adventure, sheer romance, and human endurance ranks among the first.

1

España en 1537 (mil quinientos treinta y siete). Todo el país está lleno de agitación. Todo el mundo [1] habla de las conquistas de Cortés en México y de Pizarro en el Perú. Muchos están dispuestos a vender sus bienes e irse al Nuevo Mundo. La agitación crece con los relatos de 5 Cabeza de Vaca que acaba de [2] volver a España. ¿ Qué valen las tierras ya conquistadas comparadas con las que se han de conquistar ? ¿ Qué valen el oro de los aztecas y el de los incas comparados con el que se encuentra en la Florida ? Pero, ¿ quién va a atreverse a [3] penetrar en el 10 interior del continente americano ? ¿ Quién va a ser el heredero de las tierras de Ponce de León y de Narváez ?

En la escena aparece Hernando de Soto, típico representante de los conquistadores españoles de aquella época. Aquí tenemos una descripción del explorador del Río 15 Misisipí, según uno de los cronistas:

« De más de mediano cuerpo, airoso a pie y a caballo, diestro en el manejo de armas, alegre de rostro, de color

[1] **Todo el mundo,** Everybody. [2] **acabar de** + *inf.*, to have just + *p. p.*
[3] **atreverse a,** to dare.

Pomp and circumstance attended Hernando de Soto at the start of his expedition, but the end was like that of a Greek tragedy.

moreno . . . severo en castigar los delitos de malicia, valiente en las batallas hasta estimarse las ventajas de su lanza por tanto como otros diez de su ejército. »

También hay que añadir que por su honradez y por su bondad hay pocos conquistadores que le igualan. Sólo hacia el fin de su vida, debido a enfermedades y desengaños, se hace tan brutal y sanguinario como los demás.

A la edad de veinte años, solo, con su lanza y su escudo, encontramos a Hernando de Soto en las Américas. Después de quince años de aventuras en Nicaragua y en el Perú, Hernando de Soto regresa de las Indias. Ya goza de [1] gran fama como uno de los más valientes conquistadores del imperio inca. También posee grandes riquezas, las que va gastando [2] sin ninguna limitación. Éste es el nuevo gobernador de Cuba y el adelantado de la Florida.

Las noticias del nombramiento de Hernando de Soto toman a toda España por sorpresa. De todas partes acuden nobles a Sevilla para acompañar al nuevo gobernador a la Florida. En los barcos no hay lugar para todos, y muchos se ven obligados a quedarse en España después de haber vendido todos sus bienes. Cada uno de los seiscientos aventureros es escogido personalmente por Hernando de Soto.

El 6 de abril de 1538 (mil quinientos treinta y ocho), en medio de [3] grandes festividades, la flotilla sale de San Lúcar. Hernando de Soto, acompañado de su amada esposa Isabel y de los seiscientos aventureros, se despide de [4] España y sale rumbo a [5] Cuba y a la Florida en busca de oro y de fama.

2

El 18 de mayo de 1539 (mil quinientos treinta y nueve), Hernando de Soto se despide de su esposa en la Habana y se dirige hacia la Florida.

[1] **gozar de,** to enjoy. [2] **ir** + *gerund*, to continue, be + *gerund*. [3] **en medio de,** in the midst of. [4] **despedirse de,** to take leave of. [5] **rumbo a,** on the way to.

Mientras él y sus compañeros cruzan el canal de las Bahamas para desembarcar en la bahía de Tampa, vamos a ver quién es Isabel.

Cerca de Badajoz se encuentra un magnífico y antiguo castillo que pertenece a una de las más ricas, poderosas y nobles familias de España, la de Bobadilla. En este castillo Isabel pasa casi la mayor parte de[1] su vida, pues es hija del cruel y orgulloso don Pedro de Ávila, jefe de la familia Bobadilla.

En el castillo de los Bobadilla se encuentran por primera vez Hernando e Isabel.

A la edad de diez y siete años, la hermosura de Isabel es conocida en todas partes.[2] Muchos nobles ricos y poderosos piden la mano de Isabel, pero ella está decidida a retirarse a un convento en vez de casarse con ninguno de ellos. ¿ Cuál es el secreto ? No es difícil adivinarlo. Isabel está enamorada de[3] Hernando.

Para poner fin al amor entre estos dos jóvenes, don Pedro lleva a Hernando a las Indias. Al despedirse, los dos enamorados se juran eterno y tierno amor. Isabel le aconseja tener mucho cuidado.[4] También le dice que un amigo traidor es más peligroso que mil enemigos.

Quince años pasan desde la partida de Hernando al Nuevo Mundo, durante los cuales Isabel no recibe ningunas noticias de[5] él, pero está segura de que algún día su prometido va a volver.

En efecto,[6] en 1536 (mil quinientos treinta y seis), Hernando de Soto regresa de las Indias rico y famoso pero no menos enamorado de Isabel que antes. Se casan entre grandes festividades y mucha alegría.

Pasan dos años de vida como en un sueño encantado. Ahora los dos están separados otra vez. Isabel está en Cuba mientras su esposo anda en busca de « las más grandes riquezas todavía por descubrir ».

El 30 de mayo de 1539 (mil quinientos treinta y nueve),

[1] **la mayor parte de,** the greater part of. [2] **en todas partes,** everywhere.
[3] **estar enamorado de,** to be in love with. [4] **tener cuidado,** to be careful.
[5] **recibir noticias de,** to hear from. [6] **En efecto,** As a matter of fact.

Hernando de Soto y sus compañeros desembarcan en la Florida. Dos días más tarde, a poca distancia de la costa, llegan a un pueblo abandonado por los indios. Allí, en una de las casas, encuentran unas perlas. No valen gran cosa, pero sirven para [1] confirmar la creencia en las riquezas del país.

Otra cosa, quizás más importante que las perlas, son los relatos de Juan Ortiz. Éste es un español que desde la desgraciada expedición de Narváez, anda por estas tierras como esclavo de los indios. Por primera vez en once años se encuentra de nuevo [2] entre españoles.

— ¿ Sabes si hay oro por estas partes ? — le pregunta de Soto.

— Por estas partes no hay nada, pero más al norte hay mucho — contesta Ortiz. — Los indios me dicen que más al norte, hacia donde se pone el sol, cerca de Cale, hay una tierra de eterno verano que tiene tanto oro que los guerreros llevan sombreros de este rico metal.

La marcha en busca del oro es el principio de una larga exploración que dura tres años.

Al llegar a Cale, en vez de encontrar pueblos ricos, sólo encuentran unas casas abandonadas. Pero de pronto [3] nuestros aventureros hallan algo más precioso que el oro. En los campos indios encuentran maíz suficiente para alimentar a todo el ejército por tres meses. Pero, ¿ para qué sirven estas tierras fértiles ? Nada les importa a los aventureros. Lo que ellos buscan es metal precioso y lo van a seguir buscando a pesar de todo. Oyen hablar de tierras ricas más allá,[4] pero lo que encuentran son desengaños y sufrimientos, el hambre y la muerte. La marcha los lleva por los estados actuales de la Florida, Georgia, Carolina, Tennessee, Alabama, Arkansas, Oklahoma, Luisiana y Texas. Son los primeros que exploran el Río Misisipí.

De los seiscientos que desembarcaron en la bahía de Tampa hace tres años, sólo quedan vivos trescientos veinte. La hora del valiente de Soto también se acerca. Desen-

[1] **servir para** + *inf.*, to serve + *inf.* [2] **de nuevo,** again. [3] **de pronto,** suddenly. [4] **más allá,** farther on.

gañado y enfermo, hace los últimos preparativos para retirarse de la vida y muere el 21 de mayo de 1542 (mil quinientos cuarenta y dos).

En la obscuridad de la noche, para ocultar a los indios la muerte del *Hijo del Sol*, sus compañeros lo arrojan en el Misisipí. Allí en el fondo del río, descansan los restos de su explorador, Hernando de Soto.

Las Siete Ciudades

Tall, many-storied stone castles, decorated with gold and gems! That's what the miserable Indian adobe huts seemed to Fray Marcos de Niza. Overlooking the primitive villages from a hillside, removed from the danger and tragedy that lurked about his guide, Fray Marcos viewed what he believed were the fabled Seven Cities of Cíbola. What became of his Moorish guide Estebanico? The Zuñi Indians immortalized him in one of their many folk tales. Here's the story. Read it.

A Hernán Cortés, conquistador de México, se le atribuye haber dicho: « Los españoles sufren de una enfermedad muy grave que sólo se puede curar por medio de [1] oro. »

En verdad, a los conquistadores españoles, nada les interesaba tanto como el oro. Creían que todo el Nuevo Mundo era como México o el Perú. Las riquezas de los aztecas y de los incas confirmaron la creencia de que grandes cantidades de oro quedaban aún escondidas en el interior del continente americano. Se hablaba de tierras cuyas casas estaban adornadas de oro y de piedras preciosas. Una de las leyendas más conocidas era la de las Siete Ciudades de Cíbola. Muchos creían que más al norte de México se encontraban siete ciudades cuyos techos y paredes estaban cubiertos de oro puro.

Antes de 1537 (mil quinientos treinta y siete), tres expediciones salieron de México en busca de ellas, pero volvieron sin haberlas hallado.

En 1537 (mil quinientos treinta y siete), Cabeza de Vaca llegó a México después de haber atravesado todo el con-

[1] **por medio de,** by means of.

tinente americano. Una de las primeras preguntas que le hicieron [1] fué:

— ¿ Qué sabe usted de las Siete Ciudades de Cíbola?

— No las he visto — contestó Cabeza de Vaca. — Pero
5 oí hablar de ciudades grandes y ricas más al norte.

Esto fué bastante para despertar de nuevo el interés hacia Cíbola. Entre las personas que escuchaban los relatos de Cabeza de Vaca estaba fray Marcos de Niza. Éste decidió descubrir esas ciudades y convertir a los indios a la
10 fe católica. En 1539 (mil quinientos treinta y nueve), acompañado de Estebanico y unos indios, fray Marcos se puso en camino hacia el norte.

Fray Marcos era italiano y pertenecía a la orden religiosa de San Francisco. Llegó al Nuevo Mundo con un
15 grupo de españoles, y, antes de salir en busca de Cíbola, ya había pasado algún tiempo en el Perú, Guatemala y México. Al moro Estebanico ya le conocemos. Él era uno de los compañeros de Cabeza de Vaca en su marcha por el continente americano. Durante esta expedición Este-
20 banico iba delante para explorar la tierra, y de vez en cuando [2] mandaba noticias a fray Marcos.

A cada paso oían hablar de las ricas ciudades más al norte. Se contaban cuentos de riquezas enormes y de casas grandes que tenían hasta cinco pisos. Después de andar
25 por muchos días, atravesando el desierto de los estados actuales de Nuevo México y de Arizona, los aventureros, al fin, llegaron a las puertas de las Siete Ciudades. Estebanico entró solo en una de ellas y nunca volvió a salir. Los indios de Cíbola le mataron. No se sabe exactamente
30 de qué manera murió, pero entre los cuentos de los zuñis se encuentra esta curiosa leyenda:

« Se cree que hace mucho tiempo, cuando había techos sobre las paredes de Kya-Ki-Me, cuando el humo colgaba sobre las casas y cuando las escaleras de Kya-Ki-Me no
35 estaban rotas, entonces los mexicanos vinieron de sus domicilios de la tierra del Eterno Verano.

[1] **hacer una pregunta,** to ask a question. [2] **de vez en cuando,** from time to time.

COURTESY U.S. INDIAN SERVICE

The white man came, conquered, and built an empire, but the Indian tenaciously clings to his ancient customs and simple way of life.

« Allí donde se encuentra la piedra, nuestros antepasados mataron a un mexicano negro, un hombre grande con labios gruesos. Los demás mexicanos escaparon y volvieron a su tierra del Eterno Verano.

5 « Más tarde vinieron otros mexicanos. Mataron a nuestros antepasados y conquistaron nuestra tierra. »

Al saber de la muerte de Estebanico, fray Marcos no se atrevió a seguir la marcha. En vez de entrar en Cíbola, subió a un sitio alto y desde allí echó una mirada a las 10 Siete Ciudades de abajo. Desde lejos [1] le pareció que había visto casas grandes de piedra bien construidas. Sin duda pensaba que éstas contenían las riquezas de las cuales oyó hablar tantas veces.

Estando seguro de que al fin había logrado encontrar los 15 tesoros del norte, fray Marcos se apresuró a regresar a México para contar sus descubrimientos.

No es necesario decir que las riquezas de Cíbola sólo existían en la viva imaginación de los que soñaban con ellas. Lo que fray Marcos creía que eran ciudades grandes 20 y ricas, eran en verdad pueblos de los zuñis. El cuento siguiente trata de la conquista de estos indios.

[1] **Desde lejos,** From a distance.

La marcha de Coronado

Quivira! The land where the prows of boats are made of solid gold! Where fish the size of horses playfully swim in the large rivers! Where people take a siesta underneath shady trees adorned with golden bells that produce pleasant sounds! That's the story Coronado was told, and he believed it. He followed the Indian guide and narrator of this fanciful legend on a fool's errand from Arizona to faraway Kansas.

Los relatos de fray Marcos tomaron la Nueva España por asalto. Nadie dudaba que al fin el fraile había logrado descubrir las ricas tierras del norte. Es verdad que él no trajo ninguna prueba para confirmar lo que decía, pero ¿ quién iba a negar lo que él había visto con sus propios ojos ? Cada vez que se repetían los cuentos, las riquezas de Cíbola se aumentaban. No quedaba otra cosa que hacer sino enviar una expedición de conquista. Esta expedición fué encomendada a Francisco Vázquez de Coronado, gobernador del Nuevo Reino de Galicia.

Todos los que iban a tomar parte en la expedición se reunieron en Compostela, en la costa del Pacífico. Don Antonio de Mendoza, virrey de la Nueva España, llegó de la Ciudad de México para prestar más peso y dignidad a la empresa, despedir a los aventureros y desearles buen éxito. Era ésta la más célebre expedición que había salido de la Nueva España. Así pues, entre fiestas y solemnidades, nuestros aventureros se pusieron en camino hacia el norte. Con ellos también iba fray Marcos para mostrarles el camino.

Apenas habían cruzado el desierto cuando comprendieron

COURTESY U.S. CORONADO EXPOSITION COMMISSION, ALBUQUERQUE, N.M.

Coronado's rude awakening! The only gold in Cíbola was the reflection of the sun's rays upon the Zuñi dwellings.

que habían sido engañados. Al subir a la montaña desde la cual fray Marcos había visto una ciudad rica, los españoles contemplaron algo completamente distinto. ¡ Qué aspecto más miserable! En vez de una ciudad grande y rica, los españoles vieron un miserable pueblo indio. Tan grande fué el desengaño que fray Marcos se vió obligado a [1] volver a México.

Al fin, Coronado tomó posesión del pueblo, pero no sin lucha. En el primer encuentro con los indios, Coronado cayó herido y tuvo que guardar cama [2] por algún tiempo. Tan pronto como [3] recobró bastante la salud para montar a caballo, siguió adelante con la expedición.

— Seguro es — dijo él — que lo que oímos hablar de las riquezas no es todo leyenda, pero ¿ dónde estarán ?

Para mejor explorar la tierra, Coronado dividió sus tropas y mandó expediciones a todas partes. Lo que encontraron no fué gran cosa en cuanto a [4] riquezas, pero lograron penetrar en tierras hasta entonces desconocidas. Melchor Díaz penetró en California; García López de Cárdenas descubrió el Gran Cañón de Arizona; Hernando de Alvarado descubrió a Ácoma, cuyas casas de piedra se encontraban en un peñón; pero nada de riquezas.

En una expedición a Tiguex, a poca distancia de Cíbola, Alvarado se encontró con [5] un indio a quien dió el nombre de *Turco*. El Turco decía que era de Quivira, una tierra más al este. Aquí tenemos, en parte, lo que el Turco contaba de su tierra natal:

« Mi tierra abunda en riquezas enormes. Los ríos son tan grandes que peces del tamaño de caballos se encuentran allí. Los habitantes cruzan los ríos en barcos adornados de puro metal. Hay tanto oro que los habitantes lo usan para hacer vasijas comunes. El árbol bajo el cual el jefe de estas tierras duerme la siesta está adornado de muchísimas campanillas de oro puro que producen un sonido muy agradable cuando el viento pasa por las hojas. »

[1] **verse obligado a,** to be compelled to. [2] **guardar cama,** to stay in bed. [3] **Tan pronto como,** As soon as. [4] **en cuanto a,** as for. [5] **encontrarse con,** to meet.

Sin pensar mucho, los españoles decidieron seguir al Turco, y hacia Quivira dirigieron sus pasos. Basta decir que fuera de desengaños los aventureros no encontraron nada. Desde febrero de 1540 (mil quinientos cuarenta)
5 hasta agosto de 1541 (mil quinientos cuarenta y uno), Coronado y sus tropas marcharon por tierras desconocidas y llegaron hasta el estado actual de Kansas. Allí se dieron cuenta de [1] que el Turco los había engañado y decidieron volver a Tiguex donde iban a pasar el invierno.

10 Un día, mientras se celebraba una fiesta, Coronado se cayó de su caballo y recibió una herida en la cabeza. Desengañado y enfermo decidió abandonar la exploración y volver a la Nueva España. En la primavera de 1542 (mil quinientos cuarenta y dos), Coronado y el resto de la expedi-
15 ción se dirigieron hacia el sur.

A su regreso a la Nueva España la expedición no se parecía en nada a la que había salido dos años antes en busca de Cíbola. Los soldados se quejaban porque tenían hambre; [2] muchos habían abandonado la expedición.
20 Ahora les tocó a los indios vengarse de las injusticias que los españoles habían cometido. Con muchas dificultades, Coronado, con sólo cien personas, regresó a la Ciudad de México.

El resto no es difícil de adivinar. Despojado de su alto
25 puesto, Coronado no volvió a tomar parte importante en conquistas y exploraciones. Le acusaron de faltar a [3] sus deberes, y por algún tiempo estuvo encarcelado. Cuando recobró la libertad, le encomendaron un puesto de importancia secundaria en la Ciudad de México el cual ocupó
30 hasta su muerte.

Aunque Coronado figura entre los conquistadores secundarios, él ocupa un altísimo puesto entre los exploradores. Basta fijarse en el mapa del continente americano para darse cuenta de lo que Coronado logró hacer.

[1] **darse cuenta de,** to realize. [2] **tener hambre,** to be hungry. [3] **faltar a,** to neglect.

La isla encantadora

California, an island inhabited entirely by women! Surrounded by high rocks and almost inaccessible! That's the mythical island conceived by Montalvo in a chivalrous story called *Las Sergas de Esplandián*. Strangely enough, the hard-fighting soldier Cortés believed this story to be true and set out to find it and match strength with Calafia, the queen of the Amazons. Here's another adventure — one that finally led to the discovery and settlement of California.

¿De dónde viene el bello nombre de California? ¿Cuál es el origen de esta palabra sonora? Hay algunos que dicen que esta palabra misteriosa viene de dos palabras latinas, *calida fornax*, que quieren decir en español horno caliente. Se cree que el clima de las tierras al norte de México en la costa del Pacífico les pareció así a los primeros exploradores españoles. También se cree que los exploradores aplicaron este nombre al estado actual de California debido a los hornos que los indios empleaban para curar a los enfermos.

Hay otros que piensan que el origen de California se encuentra en una novela caballeresca de Garcí Rodríguez de Montalvo.

Muchos años antes del descubrimiento de California se contaban cuentos de una isla encantadora. Uno de los cuentos más conocidos, así como uno de los más extraños, es el de Montalvo que vió la luz [1] en 1510 (mil quinientos diez). Como la mayoría de los cuentos caballerescos, éste abunda también en cosas extrañas y en descripciones fan-

[1] **ver la luz,** to be published.

tásticas. En este cuento, llamado *Las Sergas de Esplandián*, encontramos algo así:

« Al lado derecho de las Indias se encuentra una isla llamada California. Esta isla es la más fortificada del mundo debido a las peñas escabrosas que allí abundan. Todos los habitantes de aquella isla son mujeres negras, robustas de cuerpo, de corazón fuerte y de grandes virtudes. La reina de estas mujeres, Calafia, es de proporciones majestuosas y más bella que las demás mujeres de California. Las armas de aquellas mujeres son de oro puro, puesto que [1] éste es el único metal conocido en aquellas partes. »

Hernán Cortés debió haber leído esta novela o por lo menos [2] debió haber oído hablar de ella. Así pues, decidió hallar la isla y conquistarla. En verdad, en una carta que él escribió a Carlos V en 1524 (mil quinientos veinte y cuatro), Cortés habla de una isla cuya descripción es muy parecida a la de la novela de Montalvo.

No se sabe si Cortés creía todo lo que se decía acerca de [3] aquella isla, pero es seguro que hizo todos los esfuerzos necesarios para hallarla, despachando varias expediciones al norte en busca de ella. En 1533 (mil quinientos treinta y tres), uno de los exploradores de Cortés, Fortún Jiménez, descubrió la península de la Baja California y la tomó por isla. Pensando que ésta era la isla de sus ensueños, Cortés mismo condujo un grupo de colonos a la nueva tierra descubierta, a la cual llamó Santa Cruz.

A pesar de que la colonia resultó un fracaso completo, Cortés no la abandonó. Él estaba seguro de que la nueva tierra descubierta contenía muchas riquezas, y despachó varias expediciones en busca de ellas. Una de las exploraciones más extensas se verificó en 1539 (mil quinientos treinta y nueve) bajo la dirección de Francisco de Ulloa. Basta decir que no encontraron lo que buscaban, pero sí descubrieron que la « isla » era parte del continente americano.

Fué entonces cuando el nombre de Santa Cruz se cambió

[1] **puesto que,** since, seeing that. [2] **por lo menos,** at least. [3] **acerca de,** about.

por el de California, por el cual ha sido conocida hasta nuestros días. Tanto la fecha del cambio como [1] la verdadera causa del mismo quedan secretas. Se cree que Cortés, en broma, aplicó el nombre California a la tierra donde él había sufrido tantas desventuras. 5

La colonia establecida por Cortés fué el primer esfuerzo para colonizar a California y también fué la última aventura del valiente conquistador de México. Fracasó la empresa, pero no se destruyó el ánimo de Cortés. Todavía soñaba con gloria, conquistas y riquezas. Para mejor 10 organizar sus planes y para obtener la ayuda necesaria en sus empresas, se retiró a México. Pero no pudiendo obtener allí ningún apoyo, se fué a España.

Fué ésta la segunda vez que Cortés fué a España para presentar sus quejas ante el rey. El rey le recibió cordial- 15 mente, pero no hizo nada para favorecer la causa del conquistador. Allí Cortés se dió cuenta de que no tenía amigos ni en el Mundo Viejo ni en el Mundo Nuevo. Nunca volvió a la tierra donde él había ganado tanta fama y nunca volvió a tomar parte en conquistas. Pasó el resto 20 de su vida abandonado y olvidado, y murió en España en 1547 (mil quinientos cuarenta y siete). La obra de Cortés fué continuada por Mendoza, pero esto merece otro capítulo.

[1] **Tanto . . . como,** Both . . . and.

El misterio del norte

Columbus discovered America and Balboa discovered the Pacific Ocean, but a shorter route to India still remained to be found. If only there existed a strait that would link the Atlantic with the Pacific! Many believed that such a passage did exist and set out to find it. What they failed to account for in actual facts, they accomplished through fantastic tales of adventure and exploration. Yet, the search for something that in reality did not exist was not altogether fruitless.

Aun antes del descubrimiento de América, se contaban cuentos fantásticos de tierras ricas y de islas encantadas. Con el descubrimiento del Nuevo Mundo esta clase de leyendas fué aumentando. Cada cual [1] añadía al-
5 guna al sinnúmero de las que ya existían y había muchos que las escuchaban y las creían. Los cuentos no perdían nada al ser repetidos muchas veces. Al contrario,[2] ganaban en peso y dignidad. Ya hemos visto qué clase de cuentos se contaban. Ya hemos leído de los ricos depósitos de oro
10 y de perlas que debían encontrarse en el continente americano. Ya nos hemos enterado de las riquezas imaginarias de Cíbola y de Quivira. Desde el tiempo del descubrimiento de la Florida, los españoles seguían en busca del nuevo El Dorado. ¿Qué importaban los desengaños de
15 Ponce de León, de Hernando de Soto y de Francisco de Coronado? ¿Qué importaban los esfuerzos vanos de Cortés en California? Las riquezas existían; de esto no cabía duda.[3] Lo único que faltaba era hallarlas.

Otros cuentos no menos fantásticos se contaban del Es-

[1] **Cada cual,** Each one. [2] **Al contrario,** On the contrary. [3] **no cabe duda,** there is no doubt.

trecho de Anián. Según estos relatos existía un paso al norte de México que juntaba el Mar del Norte con el Mar del Sur. Muchos pensaban que tal paso tenía que existir debido al buen orden de la naturaleza para el mejor balance del mundo. 5

El primer « descubrimiento » del Estrecho de Anián se atribuye al portugués Gaspar Cortereal. En 1499 (mil cuatrocientos noventa y nueve) él hizo un viaje [1] de exploración al Labrador y allí descubrió el paso. Desde entonces [2] muchos trataron de encontrar el estrecho, pero 10 basta decir que tal estrecho sólo existía en la fértil imaginación de los exploradores.

Entre los exploradores que trataron de penetrar en el « misterio del norte », dos merecen un poco de atención. No es porque ellos lograron descubrir el paso, sino porque 15 su imaginación los llevó más lejos que a los demás. El primero es Lorenzo Ferrer de Maldonado. En un cuento escrito de una manera muy plausible y lleno de detalles, encontramos que él salió de Lisboa rumbo al Labrador. Al llegar allí, descubrió el paso, lo atravesó y volvió a 20 Europa por la misma ruta. Además de [3] la descripción de la tierra, también encontramos allí una detallada descripción de los habitantes y de sus costumbres. En fin, es una de las más hermosas falsificaciones de historia que se conocen. 25

El otro es Valerianos, mejor conocido por Juan de Fuca. Éste era griego, pero como estaba al servicio de España, había cambiado de nombre, siendo conocido desde entonces por este nombre adoptivo. Estuvo navegando por cuarenta años y pasó mucho tiempo en el Pacífico. En un relato 30 fantástico, manifiesta haber salido de la Nueva España con el objeto de descubrir el paso. Después de muchos sucesos extraños y aventuras atrevidas, llegó hasta el paso, lo atravesó y, al llegar al Atlántico, volvió por el mismo camino a la Nueva España. 35

Hoy día sabemos que no existe nada de verdad en lo que

[1] **hacer un viaje,** to take a trip. [2] **Desde entonces,** Since then. [3] **Además de,** Besides, In addition to.

él decía. Sin embargo, su nombre está inmortalizado y es conocido de muchos. La entrada de Puget Sound lleva el nombre de Juan de Fuca. Esto es debido a la semejanza entre aquella entrada y la del Estrecho de Anián según la 5 descripción de Juan de Fuca.

Se dice que una de las ambiciones secretas de Cortés era la de descubrir el Estrecho de Anián y reconquistar la gloria que él iba perdiendo. Con este motivo, despachó al norte varias expediciones desde México en busca de aquel 10 paso. Ya sabemos que los esfuerzos de Cortés resultaron en el descubrimiento de la Baja California.

Unos años después de la desafortunada aventura de Cortés, el interés en el Estrecho de Anián volvió a despertarse. Le tocó a Mendoza continuar la obra de Cortés. 15 Celoso de las hazañas del conquistador, él las quería igualar y exceder. Con este objeto despachó expedición tras expedición al norte de México.

Las expediciones de Mendoza resultaron en provechos distintos para España, pero en lo que se refiere al Estrecho 20 de Anián, ninguna de ellas logró llevar a cabo [1] el fin deseado. Penetraron en tierras hasta entonces desconocidas y exploraron varias partes del Pacífico. Esto nos lleva a una parte interesante de la historia de la Alta California, la cual trataremos en el cuento siguiente.

[1] **llevar a cabo,** to realize.

A orillas de California

For almost four hundred years the shifting sands of San Miguel Island swept over the unmarked grave of Juan Rodríguez Cabrillo. Along the thousand-mile coastline that he explored, there wasn't a place named after the man who discovered Alta California. This story deals with the heroic deeds of Juan Rodríguez Cabrillo and incidentally tells how the United States Government saved him from oblivion by honoring his memory.

Juan Rodríguez Cabrillo era portugués y estaba al servicio del gobierno español. Se le consideraba uno de los mejores navegantes de su tiempo y era muy exacto en el cumplimiento de las encomiendas que se le confiaban. Aun durante las últimas horas de su vida, hizo prometer a 5 sus compañeros que no abandonarían la exploración y que seguirían adelante. Tales eran los rasgos característicos de Juan Rodríguez Cabrillo. A este hombre Mendoza le entregó el mando de una expedición importante. Esto es todo lo que se sabe del descubridor de la Alta California. 10

¿Cuál era el objeto de esta expedición? ¿Qué iba a buscar en aquellos mares desconocidos? ¿Qué esperaba encontrar allí donde muchos hallaron sufrimientos y desengaños? Sin duda él esperaba descubrir tierras bien pobladas, riquezas enormes y, sobre todo, el Estrecho de 15 Anián.

Cabrillo salió de Navidad, Nueva España, el 27 de junio de 1542 (mil quinientos cuarenta y dos), rumbo al norte. La expedición se componía de gente de varias razas e iba en dos pequeños barcos, el *San Salvador* y el *Victoria*. 20 Los barcos eran tan pequeños y estaban tan mal construidos que uno no puede menos de [1] admirar al intrépido Cabrillo.

Dos meses después de la salida, Cabrillo ya había pasado el último punto hasta entonces explorado y se encontraba en regiones completamente desconocidas. Desembarcó varias veces [2] para obtener agua dulce, para componer los barcos y para explorar la tierra. El 28 de septiembre desembarcó en un puerto para abrigarse de una tempestad. La tempestad duró tres días, pero los barcos se mantuvieron bien al ancla [3] en las aguas azules de la hermosa bahía. Este sitio que Cabrillo llamó San Miguel hoy día se conoce por el nombre de San Diego.

Durante su estancia en San Diego, oyó a los indios hablar de otros hombres blancos que se encontraban en el interior. Se cree que éstos eran los restos de unas expediciones anteriores. Cabrillo no se detuvo para comprobar estos rumores, y tan pronto como se calmó el mar, se hizo a la vela.[4]

Siguiendo su plan, avanzó lentamente a lo largo de [5] la costa del Pacífico, avanzando hacia el norte con firme resolución pero sin rumbo fijo. De vez en cuando se detenía para explorar nuevas tierras, pero no permanecía mucho tiempo en ninguna de ellas. Descubrió las islas de Santa Catalina y San Clemente, y pasó unos días en la bahía de Santa Mónica. De todos estos puntos tomó posesión con la debida formalidad e hizo apuntes de la vida y de las costumbres de los habitantes.

Con la entrada del otoño, el viaje se hizo más peligroso. Vientos contrarios y tempestades furiosas le obligaron a seguir con más cuidado. A veces tenía que retirarse a algún puerto para refugiarse del mal tiempo. En una de estas paradas, en la isla Posesión, ahora llamada San Miguel, se cayó y se le rompió un brazo. Aunque gravemente herido, Cabrillo decidió no abandonar la expedición y seguir con la empresa. Ocho días más tarde ya se encontraba de nuevo en alta mar avanzando hacia el norte.

[1] **no poder menos de,** cannot help but. [2] **varias veces,** several times. [3] **mantenerse al ancla,** to stay anchored. [4] **hacerse a la vela,** to set sail. [5] **a lo largo de,** along.

COURTESY U.S. NATIONAL PARK SERVICE

A grateful nation renders, from the mountain top of Point Loma, a tribute to Juan Rodríguez Cabrillo, discoverer of Alta California.

El resto del viaje fué una continua sucesión de sufrimientos y de privaciones. En una de las más furiosas tempestades con que se encontraron, los dos barcos se separaron y no se volvieron a reunir hasta dos días más 5 tarde. Los que se encontraban a bordo del Victoria corrieron mayores peligros porque este barco era más pequeño, estaba peor construido y no tenía puente. El viento fué empujando los barcos hacia el norte y los llevó hasta el Cabo de Pinos, llamado ahora Northwest Cape. En aquel 10 punto cambió el viento y empezó a empujar los barcos hacia el sur donde, al fin, lograron anclar en una bahía, hoy día conocida como Drake's Bay. Durante el mal tiempo, Cabrillo se mantuvo en alta mar y no tocó en ninguno de los puertos que allí abundan, incluso el de San Francisco.

15 Para pasar el invierno, Cabrillo volvió a la isla Posesión que se encontraba más al sur. El 3 de enero de 1543 (mil quinientos cuarenta y tres), el valiente navegante murió a causa de [1] la herida que había sufrido en la misma isla. Antes de morir, hizo venir al piloto Ferrelo, le entregó el 20 mando de los barcos y le ordenó seguir con la expedición.

En honor de Cabrillo, Ferrelo cambió el nombre de la isla al de Juan Rodríguez. Allí, en las blancas arenas descansan los restos del valiente descubridor. Hoy día no sólo se ignora el lugar exacto donde está enterrado, sino que 25 hasta el nombre mismo de la isla ha sido cambiado al de San Miguel.

Le tocó al gobierno de los Estados Unidos conmemorar la gloria de Juan Rodríguez Cabrillo y sacarle del olvido. Trescientos setenta (370) años después de la muerte del 30 descubridor de la Alta California, se construyó un monumento nacional en honor suyo. Este monumento se encuentra en la cumbre de Point Loma, la tierra que Cabrillo vió desde lejos al acercarse a la bahía de San Diego el 28 de septiembre de 1542 (mil quinientos cuarenta y dos). 35 Lugar más apropiado para inmortalizar a Juan Rodríguez Cabrillo no se puede encontrar en parte alguna.

[1] **a causa de,** on account of, because of.

La siempre fiel ciudad de San Agustín

The tranquillity of St. Augustine, basking in the sun of her mild climate, little betrays her turbulent history. Baptized in blood, sacked twice by British pirates, reduced to ashes by Sir Francis Drake, the city still stands on its original site. Matanzas Bay, old Fort Marion, and the ancient gates to the city bear witness to the bloody combats among the first white settlers of Florida. Here's a story of our first city — a true story that is stranger than fiction.

1

Conflictos religiosos y celos internacionales caracterizan la fundación de la primera ciudad de los Estados Unidos. El mismo país, que más tarde llega a ser [1] el más democrático del mundo, es escena de derramamientos de sangre a causa de controversias religiosas. La misma 5 tierra, que más tarde proclama la libertad religiosa, es sitio de combates sangrientos entre católicos y protestantes. Tal es, sin embargo, el principio de San Agustín, nuestra ciudad más antigua.

Bautizada con sangre, saqueada dos veces por piratas 10 ingleses, reducida a cenizas por Sir Francis Drake, cedida varias veces, San Agustín permanece hoy en el mismo sitio de su fundación. Las puertas de la ciudad, los edificios antiguos y el histórico castillo de San Marcos son testigos de los tiempos pasados. La bahía de Matanzas, situada 15 muy cerca de la ciudad, es el sitio donde se libran [2] las primeras batallas entre europeos en el Nuevo Mundo.

[1] **llegar a ser,** to become. [2] **librarse,** to take place.

Todo esto nos recuerda el pasado y nuestros pensamientos vagan y nos llevan a la Europa del siglo XVI.

La Península Ibérica es el único lugar donde el protestantismo no ha penetrado. España, además de ser el país más 5 católico, es también el más poderoso. Se considera el único dueño de la América del Norte y está dispuesto a defender su derecho por la fuerza de las armas. Sus exploradores ya han penetrado varias veces en la Florida, pero no habiendo encontrado allí ninguna riqueza, se dedican a explorar 10 tierras más fértiles. Mientras tanto la Florida queda abandonada en espera de tiempos más propicios. En Francia los partidarios de Lutero ganan terreno. Con el aumento de los protestantes también aumenta el antagonismo contra ellos. Para evitar las persecuciones, un 15 pequeño grupo de protestantes se traslada al Nuevo Mundo y establece una colonia en la Florida. ¡ Pobres hugonotes! ¡ No sospechan que el idealismo que los anima va a terminar en una catástrofe! No saben que mientras ellos tratan de establecerse en una tierra nueva, bajo condi- 20 ciones muy difíciles, Felipe II, rey de España, piensa en exterminarlos. Éste es el prólogo del drama sangriento que ha de tener lugar a orillas del Río San Juan Bautista.

En 1565 (mil quinientos sesenta y cinco) una flotilla española se acerca a [1] la colonia francesa. Esta flotilla está al 25 mando de Pedro Menéndez, cuya pasión de conquista sólo es igualada por su odio a los protestantes. Dirigiéndose a [2] los franceses que allí se encuentran, Menéndez les pregunta:

— Caballeros, ¿ de dónde vienen estos barcos?

— De Francia — contesta Ribaut, jefe de los franceses.

30 — ¿ Qué hacen ustedes tan lejos de su patria?

— Llevamos provisiones y armas a la colonia francesa que por aquí [3] se encuentra.

— ¿ Son ustedes católicos o luteranos?

— Luteranos.

35 — Pues yo soy el general Pedro Menéndez de Avilés. Ésta es la armada del rey de España, el cual me ha des-

[1] **acercarse a,** to approach, come near. [2] **dirigirse a,** to address. [3] **por aquí,** this way, around here.

pachado para exterminar a los luteranos franceses. Los católicos no corren peligro.[1] Tengo instrucciones de tratarlos bien.

Después de apoderarse de la colonia francesa, Menéndez los hace matar a todos, no por ser franceses sino por ser protestantes.

Consumado el hecho, Menéndez vuelve a la costa del Atlántico y se pone a[2] construir la primera ciudad, San Agustín.

2

Las noticias de las atrocidades cometidas por los españoles en la Florida produjeron sentimientos de hostilidad en Francia. Pero ¿ quién iba a oponerse a la autoridad española ? ¿ Quién iba a atreverse a vengar la muerte de los protestantes ? El gobierno francés no se atrevió, pero había un hombre que tenía cuentas pendientes[3] con España. Éste era Dominique de Gourgués. Él no quería olvidarse de la humillación que había sufrido a manos de los españoles. Él no podía olvidar que por tres años había sido su prisionero. Ahora había llegado el momento de vengar no sólo sus propios agravios sino también la muerte de los colonos franceses. Se aprovechó de[4] que Menéndez estaba en España y condujo una flotilla a la Florida. En la obscuridad de la noche y con la ayuda de unos indios, se acercó a la colonia española. Llegó a Fort Caroline, llamado San Mateo por los españoles, y a voz en grito[5] exclamó:

— ¡ Allí están los ladrones que han robado nuestra tierra ! ¡ Allí están los asesinos de nuestros hermanos ! ¡ Adelante ! ¡ A vengarse ! ¡ A mostrar que somos franceses !

De Gourgués hizo matar a todos los que cayeron en sus manos, no por ser españoles, sino por ser ladrones, traidores

[1] **correr peligro,** to be in danger. [2] **ponerse a** + *inf.* to begin + *inf.* [3] **cuentas pendientes,** unfinished business, unsettled accounts. [4] **aprovecharse de,** to take advantage of. [5] **a voz en grito,** in a loud voice, shouting.

y asesinos. Así es como el suelo de la Florida fué regado de sangre otra vez. Habiendo terminado su misión, de Gourgués se hizo a la vela rumbo a Francia. En el camino se encontró con tres barcos españoles; se apoderó de ellos, 5 arrojó al mar a todos los tripulantes y llegó a Francia con un gran botín y gran fama de héroe.

Era evidente que San Agustín no estaba destinada a desarrollarse en paz y tranquilidad. Los celos internacionales que caracterizaron el establecimiento de las colonias 10 en la Florida siempre la perseguían. Además de los encuentros con los indios, las colonias estaban siempre amenazadas por alguna nación europea. Esta vez no era Francia sino Inglaterra, un nuevo enemigo del poderío español en América. Fué esta situación la que empujó a 15 Sir Francis Drake a atacar las colonias españolas en las dos Américas. En 1586 (mil quinientos ochenta y seis) Drake atacó y redujo a cenizas a San Agustín.

Con la derrota de la Armada Española en 1588 (mil quinientos ochenta y ocho), el poderío de Inglaterra empezó 20 a crecer. España ya no[1] era la reina de los mares; las colonias inglesas aumentaban en la América del Norte. En 1763 (mil setecientos sesenta y tres) los ingleses se apoderaron de la Florida y San Agustín pasó a ser una ciudad inglesa. Por veinte años la Florida permaneció bajo el 25 dominio inglés y después pasó otra vez a los españoles. Por fin, en 1821 (mil ochocientos veinte y uno), España cedió la Florida a los Estados Unidos del Norte y San Agustín se convirtió en[2] una ciudad norteamericana.

Hoy día[3] San Agustín es una ciudad moderna pero de 30 importancia secundaria. Su puerto no es bastante grande para acomodar los transatlánticos modernos. Como lugar de recreo ha sido sustituida por otras más elegantes que se han construido en otras partes de la Florida. Así pues, permanece soñolienta, bañándose en el sol de su clima 35 agradable y guardando el honor de ser la ciudad más

[1] **ya no,** no longer. [2] **convertirse en,** to be changed into. [3] **Hoy día,** Nowadays, Now, At the present time.

COURTESY ST. AUGUSTINE AND ST. JOHN'S COUNTY CHAMBER OF COMMERCE

The old Gateway of St. Augustine in Florida still retains the flavor of days gone by. It is a reminder of European rivalry in sixteenth-century America.

antigua de los Estados Unidos. Lo antiguo y lo moderno se mezclan aquí en justa armonía lo que da un aspecto particular a esta ciudad. La parte antigua de ella es completamente europea y parece una ciudad española situada 5 en este lado del Atlántico.

El camino del padre

A stony staircase leading to the summit of a "City in the Sky" tells a curious story — a story that love is stronger than hate; that enlightenment is more powerful than force. The fighting soldiers of Spain overcame the Indians of Ácoma, but did not vanquish them. This story tells of one of the greatest battles in the annals of North American history, but the real conquest was made by a single man whose only arms were those of love and self-sacrifice.

1

Lo que [1] no se podía conseguir por la fuerza de las armas se adquirió por el amor y la devoción. En el peñón de Ácoma se encuentra una escalera de piedra llamada hasta hoy *El camino del padre.* Esta escalera da fe del heroísmo del padre Juan Ramírez, que conquistó a 5 los ácomas solo y sin otras armas que un crucifijo en la mano y el amor y la devoción en el corazón. La escalera no fué construida por él; era la que acostumbraba tomar para subir a la « Población del Cielo », en donde [2] hizo edificar la primera iglesia. 10

Las primeras noticias de Ácoma se encuentran en los relatos de fray Marcos. Él mismo no vió este extraño pueblo, pero oyó a los indios hablar de él. El primer europeo que lo visitó fué Hernando de Alvarado. Era éste uno de los exploradores que tomaron parte en la expedición 15 histórica de Coronado. Fué durante esta expedición cuando hizo una visita a Ácoma; en sus relatos encontramos una descripción del pueblo.

[1] **Lo que,** What, That which. [2] **en donde,** where, in which.

Desde la primera visita de los españoles a Ácoma hasta su conquista final transcurre siglo y medio. Durante todo este tiempo el peñón se ganó por asalto sólo una vez;[1] los españoles nunca lograron vencer a los habitantes por la fuerza de las armas. Gracias a la devoción y la paciencia de los misioneros españoles, Ácoma llegó a ser uno de los pueblos más avanzados y pacíficos de Nuevo México. Durante los veinte y cinco años que fray Juan Ramírez pasó entre los ácomas, los guerreros se convirtieron en gente de paz. Bajo su dirección construyeron una gran iglesia de piedra a costa de[2] mucho trabajo. Bajo su enseñanza muchos aprendieron la doctrina cristiana y hubo algunos entre ellos que aprendieron también a leer el español. Mas ¿cómo se explica el poder de Ácoma para resistir los ataques de los guerreros españoles? ¿Cómo es que los soldados del rey de España no lograron vencer a los ácomas por la fuerza de las armas? La respuesta hay que buscarla en la posición del peñón y en la historia de la conquista de Nuevo México.

Para protegerse de las muchas tribus que los rodeaban, los indios edificaron sus aldeas en lugares altos, bien fortificados por la naturaleza misma. De todas estas fortalezas naturales, la de Ácoma era la más poderosa. Está situada en un peñón de unos 350 (trescientos cincuenta) pies de altura, cuyos lados forman precipicios inaccesibles. Un pequeño grupo situado en la cima puede fácilmente rechazar a un ejército formidable. Los pocos caminos que conducen a la cumbre son tan estrechos y peligrosos que un mal paso puede ocasionar una muerte horrible. Pues bien,[3] allí se encontraba y aún se encuentra Ácoma.

Cuando Juan de Oñate llegó al pie del peñón el 27 de octubre de 1598 (mil quinientos noventa y ocho), los principales de Ácoma bajaron para saludarle y juraron someterse a la autoridad del gobierno español. Le invitaron a subir para examinar el pueblo y mostraron mucha amistad hacia los españoles. No sospechó Oñate que los ácomas sólo trataban de engañarle. Los ácomas ya se habían en-

[1] **una vez,** once. [2] **a costa de,** at the cost of. [3] **Pues bien,** Well then.

The church (above) and the strategic position (below) of Ácoma, New Mexico, the "City in the Sky," offered both spiritual and physical protection against the enemy.

terado de[1] que Oñate era el más poderoso de los españoles, y al matarle a él esperaban no sólo libertarse ellos sino libertar a todos los demás indios del dominio español.

Dejando sólo a algunos hombres para cuidar los caballos, 5 Oñate y sus compañeros subieron la escalera de piedra y pronto llegaron a la cumbre. Allí examinaron las habitaciones extrañas de los ácomas, pero Oñate se negó a entrar solo en un lugar obscuro que querían enseñarle. En verdad, la acción prudente del conquistador le salvó la vida, porque 10 en aquel cuarto se habían escondido unos guerreros indios con el propósito de matarle. Los indios no se atrevieron a dar batalla[2] a todos los cuatrocientos españoles, y así, Ácoma por de pronto,[3] pasó a manos de los españoles. Oñate había escapado la suerte que tocó a Juan de Zaldívar 15 unos cuarenta días más tarde.

Juan de Zaldívar salió de San Gabriel de los Españoles, ahora llamada Chamita, para seguir a su general, Oñate. Con sólo treinta soldados llegó a Ácoma el 4 de diciembre. Como la vez pasada, los ácomas bajaron para recibir a los 20 españoles y les mostraron mucho cariño y mucha amistad. Los invitaron a subir para visitar sus habitaciones como lo habían hecho anteriormente con Oñate. Zaldívar conocía bien lo traicioneros que eran los indios, pero esta vez se dejó engañar por ellos. Dejando casi la mitad de sus tropas 25 abajo, él subió la escalera. ¡Jamás volvió a bajarla!

Al llegar a la cumbre, los españoles, sin sospechar nada, empezaron a examinar las maravillas de Ácoma. Se separaron, unos por acá y otros por allá,[4] para observar la vida y las costumbres de los habitantes. Esto era lo que los 30 ácomas estaban esperando. Había llegado el momento oportuno para atacar a los que iban a arrebatarles la libertad. Con gritos furiosos se lanzaron contra los españoles para exterminarlos a todos. La batalla fué una de las más heroicas, pero era evidente que los ácomas la ganarían. 35 ¡Diez y siete españoles contra cientos de indios!

El primero que cayó muerto fué Zaldívar. Los demás

[1] **enterarse de,** to find out. [2] **dar batalla,** to wage war. [3] **por de pronto,** for the time being. [4] **por acá y por allá,** here and there.

lucharon con todas sus fuerzas, pero uno por uno [1] fueron cayendo también. Cinco españoles quedaban aún con vida y lucharon para abrirse camino,[2] pero no les fué posible rechazar a los indios y bajar al mismo tiempo la escalera. Tuvieron que elegir una de dos: o morir a manos de los ácomas o [3] saltar del peñón a una muerte horrible. Decidieron saltar; como por milagro cayeron sobre unos montones de arena al pie del peñón. Sólo uno murió y los otros cuatro, heridos y agotados, se reunieron con sus compañeros.

Allí, en el fondo de un precipicio, se quedaron unos días, al fin de los cuales resolvieron ponerse en camino de regreso.[4]

2

Durante los penosos días que los españoles pasaron al pie del peñón, pudieron darse cuenta del peligro que los amenazaba. Comprendían que la acción de los ácomas podía precipitar una insurrección general de todos los indios contra los españoles. Sabían que la catástrofe de Ácoma podía servir de prólogo a la exterminación completa de todos los blancos. No pensaban sólo en su vida, sino en la de todos sus parientes, amigos y compañeros. Pero ¿ cómo avisar a todos del peligro que los amenazaba ? Oñate se encontraba entre los indios moquis; los demás exploradores andaban por otras partes; y la colonia de San Gabriel era demasiado débil para resistir cualquier ataque. Era evidente que sólo reuniendo todas las fuerzas en un lugar, los españoles podrían evitar una catástrofe. Movidos por una tierna devoción y un gran cariño hacia los suyos, este puñado de soldados resolvió separarse en grupos de tres o cuatro personas. Un grupo se dirigió hacia Oñate, otro grupo se marchó a San Gabriel y los demás se pusieron en camino en busca de los españoles que se encontraban en Nuevo México. A fines de diciembre, todos los españoles se

[1] **uno por uno,** one by one. [2] **abrirse camino,** to break through. [3] **o . . . o,** either . . . or. [4] **camino de regreso,** return trip.

reunieron en San Gabriel e hicieron los preparativos para resistir el ataque de los indios.

Pero los indios no hicieron ningún ataque. Esperaban ver lo que harían los españoles. Era también claro que 5 para mantener su poder en Nuevo México, Oñate tendría que castigar a los ácomas. Pero ¿ quién iba a atreverse a atacar a los ácomas en su fortaleza ? ¿ Cómo iban a apoderarse del peñón ? Se necesitaban más fuerzas de las que él podía disponer. Pero entre los soldados se encontraba 10 Vicente de Zaldívar, hermano de Juan. Éste juró vengar la muerte de su hermano, y con setenta soldados se puso en camino hacia Ácoma. Cada uno de los setenta sabía lo que significaba un asalto al peñón y cada uno estaba resuelto a vencer o a morir. Los ácomas ya se habían ente- 15 rado de la expedición e hicieron todos los preparativos para recibir a los españoles. Sin embargo, Zaldívar y sus compañeros decidieron darles batalla. La vida de la colonia española dependía del éxito de esta acción.

El combate empezó al alba del 23 de enero y duró tres 20 días. Fué uno de los más sangrientos y heroicos de la historia de Nuevo México. Los indios lucharon con todas sus fuerzas, pero no pudieron igualar el valor de Zaldívar y de su pequeño grupo. Muchos indios se arrojaron del peñón sólo para hallar la muerte más horrible. Más de quinientos 25 indios murieron en la batalla y todas las viviendas fueron destruidas. Al mediar el tercer día, los viejos de Ácoma salieron a pedir paz, la que Zaldívar, desde luego, concedió. Tan pronto como los españoles recobraron sus fuerzas, volvieron en triunfo a San Gabriel donde fueron recibidos 30 entre gritos, risas y lágrimas. Las demás tribus indias que esperaban la derrota de los españoles en Ácoma y que observaban la batalla desde lejos, quedaron asombradas.[1] De viva voz [2] corrieron noticias de pueblo en pueblo de la caída de Ácoma en manos de los españoles. ¡ La fortaleza más 35 formidable no pudo resistir el ataque de un pequeño grupo ! Desde entonces no se atrevieron a molestar a Oñate.

[1] **quedar asombrado,** to be surprised, stunned. [2] **De viva voz,** By word of mouth.

Se ganó a Ácoma, se destruyó el ánimo de sus habitantes, pero el odio todavía quedaba por vencer. La derrota convenció a los ácomas de que no podrían vencer a los españoles, y por eso [1] no los odiaban menos. Por treinta años fueron enemigos de los españoles, de sus guerreros y de su religión. No podían olvidar lo que sufrieron a manos de Zaldívar y no querían tener nada que ver con los blancos. Este odio fué vencido en 1629 (mil seiscientos veinte y nueve). La segunda y verdadera conquista la hizo un hombre solo.

En 1629 (mil seiscientos veinte y nueve) el padre Juan Ramírez se presentó al pie de Ácoma y empezó a ascender la escalera de piedra que conducía a la cumbre. Los ácomas se asomaron al [2] peñón y, viendo a un forastero, empezaron a arrojarle flechas y piedras. En ese momento sucedió algo que cambió la conducta de los indios. Una muchacha que estaba observando lo que pasaba, se asustó y se cayó del peñón. Como por milagro cayó sobre los montones de arena y no se hizo daño. El padre Ramírez la tomó en sus brazos, la llevó arriba y la entregó sana y salva [3] a sus padres. Este milagro venció a los ácomas, los cuales agradecidos al padre, le permitieron permanecer entre ellos.

Desde entonces los ácomas empezaron a vivir en paz y en tranquilidad. Se dedicaron a la agricultura y se aprovecharon de las enseñanzas del padre. Le respetaron durante su vida y le veneraron después de su muerte. Esto no quiere decir que jamás lucharon contra la autoridad de los españoles. Sí lucharon y algunas veces [4] con éxito. Cuando Diego de Vargas trató de apoderarse del peñón, fué rechazado por los ácomas. Pero poco a poco [5] las doctrinas de amor penetraron en el corazón de los ácomas, y al fin este amor los convirtió en gente de paz.

[1] **por eso,** for that reason. [2] **asomarse a,** to appear at, look out of, peer out. [3] **sana y salva,** safe and sound. [4] **algunas veces,** sometimes. [5] **poco a poco,** little by little.

This bell was a witness of Spain's greatest glory and her eventual decline. It is supposedly housed in the church below, the oldest place of worship in the United States, Santa Fe, New Mexico.

COURTESY NEW MEXICO STATE TOURIST BUREAU

La campana más antigua de los Estados Unidos

Santa Fe! The city where many civilizations merged! Where covered wagons from Missouri met caravans from Mexico City! Where Yankee traders, Spanish merchants, Mexican cattlemen, and Indian barterers exchanged wares long before New Mexico became part of the United States. Its history and traditions are older than those of Plymouth Rock. The Church of St. Michael, built in 1605, is still used for services. Legend has it that the oldest bell in North America is housed in that church.

En la antigua ciudad de Santa Fe, capital de Nuevo México, se encuentra la iglesia de San Miguel. Esta iglesia fué edificada por Juan de Oñate, conquistador de Nuevo México, y es la más antigua, en uso, de los Estados Unidos. Se dice [1] que debajo del altar de la iglesia des- 5 cansan los restos de su fundador.

La historia de San Miguel está íntimamente relacionada con la historia de Santa Fe y con la conquista de Nuevo México por los españoles. Desde 1605 (mil seiscientos cinco) la iglesia está allí y habla de la grandeza de la España 10 antigua y de las primeras luchas de los conquistadores. San Miguel ha sido testigo de varias insurrecciones indias así como de varios cambios de gobierno. También ha sido abandonada varias veces y casi destruida. Según la leyenda, San Miguel tiene la campana más antigua de la 15 América del Norte.

En 1356 (mil trescientos cincuenta y seis), durante la lucha de los españoles contra los moros, los españoles estaban perdiendo batalla tras batalla. Los moros iban

[1] **Se dice,** It is said.

ganando terreno y el triunfo de la fe mahometana parecía seguro. Los españoles, al fin, juraron fundir una campana en honor de San José para pedir la asistencia del buen santo. Trajeron su oro y su plata, sus anillos y sus brazaletes, sus cadenas de oro y cuantas otras joyas tenían y los echaron con los otros metales en el crisol. La mezcla produjo una campana cuyo melodioso repique simboliza la dulzura del sacrificio.

El toque de esta campana proclamó la derrota de los moros en España. Más tarde, traída al Nuevo Mundo, señaló el nacimiento de la fe cristiana en México. Los padres la llevaron de allí a Nuevo México, y ahora reposa en la iglesia de Santa Fe.

Santa Fe es la primera ciudad fundada por los españoles en el sudoeste de los Estados Unidos. Muchas de las costumbres españolas se conservan hasta hoy y el idioma castellano se oye por todas partes. Retiene mucho del ambiente de la España antigua y se considera la ciudad más española de los Estados Unidos. Durante el dominio español, Santa Fe fué un centro comercial importante. Las caravanas de México seguían su paso lento [1] hacia el norte por el Camino Real que terminaba en Santa Fe. Desde esta ciudad los españoles hacían negocios con Texas y California. Todo esto sucedía doscientos años antes del establecimiento del Camino de Santa Fe (*Santa Fe Trail*) empleado por los norteamericanos en su empuje hacia el oeste. Mucho antes de la ocupación de Nuevo México por los norteamericanos, los yanquis habían logrado [2] establecer relaciones comerciales con los españoles.

Con la ocupación de Nuevo México por los norteamericanos, Santa Fe se convirtió en un verdadero emporio comercial. Las caravanas de San Luis de Misuri empezaron a llegar con más frecuencia para satisfacer la creciente demanda de mercancías. Con la construcción del ferrocarril, Santa Fe perdió muchas de sus actividades comerciales, puesto que la línea no pasó por aquella ciudad. En cambio,[3]

[1] **paso lento,** slow pace. [2] **lograr** + *inf.*, to succeed in + *gerund.* [3] **En cambio,** On the other hand.

debido a [1] su ambiente de tranquilidad y a su arquitectura singular, empezó a atraer a muchos artistas.

Hoy día Santa Fe es una ciudad moderna pero retiene la atmósfera de los tiempos pasados. Es un asilo para pintores, turistas y escritores, y es el centro donde se estudia el hombre prehistórico de estas regiones. 5

[1] **debido a,** owing to, due to.

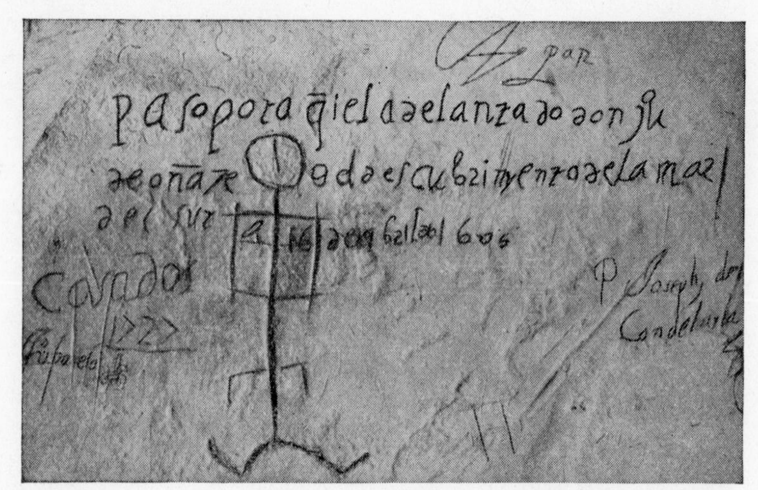

COURTESY U.S. DEPARTMENT OF THE INTERIOR

"Juan de Oñate passed through here." So reads the first inscription of El Morro, *a big boulder in New Mexico also known as Inscription Rock, now a national monument.*

COURTESY U.S. DEPARTMENT OF THE INTERIOR

El Morro

Fragments, mere detached fragments, but what stories they tell! Documentary evidence of early explorations, military campaigns, and missionary pursuits are graphically depicted on the walls of *El Morro*. Situated in western New Mexico, it served as a guide-post during the early explorations of our Southwest. Each important expedition, beginning with Oñate's in 1605, passed by this place and many left messages inscribed on its flat walls. Little wonder the government of the United States took precautions to protect the historic messages of this unique "Inscription Rock."

Los monumentos de piedra no tienen nada de raro.[1] Los encontramos en todas partes del mundo. Cada pueblo los hace construir para glorificar las hazañas de sus héroes o para conmemorar algún hecho o algún sitio histórico. Sin embargo, a Nuevo México le toca poseer el monumento de piedra más singular del mundo. Se encuentra en la parte occidental de aquel estado, cerca de la frontera de Arizona. Este monumento no es una obra humana. La construcción de tales cosas está fuera del alcance de los mortales. Es una obra de la naturaleza que se encuentra allí desde hace muchos siglos [2] y que probablemente estará allí hasta el fin del mundo. En fin, es una peña enorme, llamada por los primeros conquistadores españoles *El Morro*, nombre que conserva hasta hoy.

El Morro se eleva majestuosamente sobre el nivel del desierto a unos 215 (doscientos quince) pies de altura y ocupa un espacio de algunas millas cuadradas. En los

1 **nada de raro,** nothing strange. 2 **desde hace muchos siglos,** for many centuries.

días calurosos de verano, El Morro atrae a los fatigados viajeros y silenciosamente los invita a descansar a su sombra y a calmar su sed con el agua fresca que por allí corre. En las noches de invierno los viajeros pueden abri-
5 garse del viento en alguna de sus cavernas. No muy lejos de [1] allí hay bastante leña para calentarse. En fin, es una obra creada allí por la naturaleza para regalo y beneficio del hombre. Mas no es ésa la razón por la cual El Morro es tan extensamente conocido. No es por eso que el
10 gobierno de los Estados Unidos lo conserva ahora como uno de sus más preciosos monumentos. La importancia de El Morro consiste en que revela hechos interesantes. Cuenta de exploraciones atrevidas, de batallas heroicas y, a veces, de aspiraciones frustradas. Cuenta de la grandeza de la
15 España antigua y del valor de los primeros conquistadores de la América del Norte. Todo esto lo dice de manera gráfica, por medio de inscripciones grabadas en sus muros roqueños.

Para mejor entender el significado de este monumento,
20 tenemos que fijarnos un poco en [2] la historia de la América del Norte a principios del siglo XVII. En todo este vasto territorio, con excepción de México y la Florida, no existe todavía ninguna colonia europea. España es el único país que trata de explorar y conquistar estas tierras. Sus
25 valientes exploradores penetran en el interior, y sus intrépidos navegantes cruzan mares desconocidos para descubrir nuevos mundos. En 1605 (mil seiscientos cinco) encontramos a Juan de Oñate, conquistador de Nuevo México y fundador de Santa Fe, descansando a la sombra [3]
30 de El Morro. Acaba de hacer una expedición de México al Mar del Sur y ya está de regreso. Observa los muros planos de la peña y se le ocurre [4] conmemorar el suceso de manera gráfica. Ésta es la primera y la más antigua inscripción que hay en El Morro.

35 Desde aquel día memorable muchos pasan por la misma ruta. Cada expedición importante que se detiene [5] en aquel

[1] **lejos de,** far from. [2] **fijarse en,** to notice. [3] **a la sombra,** in the shadow. [4] **se le ocurre,** it occurs to him. [5] **detenerse,** to stop.

lugar deja un recuerdo grabado en los muros de El Morro. Allí se encuentran inscripciones de exploradores, militares, clérigos y gobernadores. Allí quedan grabados trozos interesantes de la historia de nuestro país. Todas estas inscripciones son cortas, pero ¡ qué hazañas más heroicas cuentan ! [1]

Hoy día El Morro es un monumento nacional bajo la protección del Estado. El gobierno de los Estados Unidos ha hecho todo lo posible para proteger y conservar las inscripciones históricas que allí se encuentran.

[1] **¡ qué hazañas más heroicas cuentan !** what heroic deeds they tell !

One of the strangest stories of New Mexico is that of Father Padilla's coffin, which, according to the Indians, is buried beneath the altar of the old mission church of San Agustín de la Isleta.

El ataúd del padre Padilla

Dead men tell no tales, but not according to the Indians of Isleta. They believe that Father Padilla rises from the dead, takes a walk about the village, and then peacefully returns to his slumber beneath the altar of the church. That's the manner in which the Isleta Indians explain the rumbling noises caused by an underground stream. We certainly ought not to begrudge the citizens of Isleta this innocent superstition. There's no harm in it, and, besides, it does make a fine story.

A doce millas al sur de Albuquerque se encuentra una de las aldeas más antiguas e históricas de Nuevo México. Los españoles le dieron el nombre de *Isleta*, que quiere decir isla pequeña, nombre que conserva hasta hoy. En verdad, muchos años antes de la llegada de los españoles, 5 Isleta era una isla, pero debido al cambio del curso del Río Grande, se encuentra ahora en un lugar elevado en el centro del valle. También se cree [1] que una corriente subterránea pasa por aquel sitio, porque hay veces,[2] durante el año, en que se oyen ruidos debajo de la tierra. 10

Isleta se encuentra hoy en el mismo sitio donde se hallaba cuando Coronado la visitó en 1540 (mil quinientos cuarenta). Desde entonces, cada expedición importante se detenía en aquel lugar, en el cual los españoles hicieron construir la misión de San Antonio de la Isleta. No se 15 sabe [3] en qué año fué establecida la misión, pero ya existía en 1629 (mil seiscientos veinte y nueve). Durante la insurrección de los indios en 1680 (mil seiscientos ochenta), los habitantes se trasladaron a la Isleta del Sur, cerca de

[1] **se cree,** it is believed. [2] **hay veces,** there are times. [3] **No se sabe,** It is not known.

El Paso, Texas. Allí hicieron construir otra misión, a la cual dieron el nombre de la que habían abandonado.

Isleta fué abandonada en 1680 (mil seiscientos ochenta) y cuando los españoles volvieron a ocuparla en 1709 (mil setecientos nueve), encontraron la misión completamente destruida. Hicieron construir otra nueva donde se encontraba la antigua y la llamaron *San Agustín.* Por este nombre, San Agustín de la Isleta, la misión se conoce [1] hasta hoy. La iglesia ha estado en servicio continuo desde entonces y sólo el exterior del edificio ha sido cambiado. Debajo del piso de la iglesia, cerca del altar, está enterrado un padre desconocido. Nadie ha podido averiguar quién es, pero los habitantes están seguros de que el desconocido es el padre Juan Padilla.

El padre Juan Padilla se quedó entre los indios cuando Coronado resolvió abandonar la expedición de Quivira en 1542 (mil quinientos cuarenta y dos). La leyenda cuenta que el padre Padilla logró hallar las riquezas que Coronado no pudo encontrar. La misma leyenda cuenta que allí, en Quivira, el buen padre se puso a convertir a los indios a la fe cristiana, y cuando intentó dejar la tribu e irse a otras partes, los de Quivira le mataron.

Aparte de la leyenda y según informes más recientes, el padre Padilla murió a manos de [2] los indios del estado actual de Kansas. No cabe duda alguna que los restos no fueron llevados a Isleta, porque en aquel tiempo no había cristianos en Nuevo México. Esto, sin embargo, no tiene nada que ver con lo que los de Isleta creen. Ellos están convencidos de que su iglesia guarda los restos del padre Padilla y no los de ningún otro.

Según los isletas, los restos del padre Padilla fueron llevados de Quivira a Isleta y cuando se construyó la primera iglesia, los indios los enterraron allí. La cosa más curiosa es que los isletas creen que una vez al año,[3] el ataúd del padre sube a la superficie de la tierra. Y no sólo esto, sino que el padre sale del ataúd, da un paseo [4] por la aldea y

[1] **se conoce,** is known. [2] **a manos de,** at the hands of. [3] **una vez al año,** once a year. [4] **dar un paseo,** to take a walk.

vuelve después a su sepulcro debajo del piso de la iglesia. Hay algunos que aseguran haber visto al padre y no sólo manifiestan que su cuerpo está bien conservado sino que lleva una larga barba negra. Hay otros que han heredado de sus antepasados pedazos de lana que, según la leyenda, 5
son de la sotana del padre Padilla.

¡ Ay de mí ! [1] ¡ Qué cosas más extrañas llenan la imaginación de los seres humanos !

[1] **¡ Ay de mí !** Poor me !

Modern civilization seemingly does not affect the simplicity and primitiveness of the way of life of the Ácoma and Laguna Indians of New Mexico.

COURTESY NEW MEXICO STATE TOURIST BUREAU

San José ante el tribunal

An old faded picture of St. Joseph meant more to the Indians of Ácoma than all the art treasures and riches of the world. And rightly so, for they thought that the painting possessed miraculous powers. They believed that it was this picture that insured good harvests, perfect health, peace, and prosperity. Their neighbors at Laguna, who entertained the same belief, managed to borrow the painting and then decided to keep it. It took fifty years and a court trial to settle this complicated affair. Here's the case! You be the judge!

Un viejo cuadro de San José adorna la antigua iglesia de Ácoma. Nadie sabe cuándo llegó allí por primera vez, pero es seguro que los ácomas están dispuestos a hacer todo lo posible para retenerlo en su poder.

Según la leyenda, este cuadro, se lo trajo fray Juan Ramírez a los ácomas como regalo de Carlos II, el Hechizado, rey de España. No se sabe qué valor tendrá, pero los ácomas creen que es la cosa más valiosa que poseen. ¡Y con razón![1] El cuadro del buen santo hace milagros. Si no hay lluvia, se le reza al cuadro y dentro de pocos días llueve a cántaros.[2] Si llueve demasiado, se le vuelve a rezar al cuadro y la lluvia cesa. El santo también cura a los enfermos, vence a los enemigos y hace otros milagros. La fama del cuadro cruzó las fronteras e inspiró celos en el corazón de todos los indios de Nuevo México y, sobre todo, en el corazón de los de Laguna. De esto provino una disputa interesantísima que duró cincuenta años y que al fin fué decidida ante un tribunal.

[1] **¡Y con razón!** And rightly so! [2] **llover a cántaros,** to rain by bucketfuls, pour.

Los ácomas acudían siempre al santo en tiempos peligrosos y estaban seguros de que la buena salud y la tranquilidad de que gozaban las debían al cuadro. Mientras que [1] los ácomas disfrutaban de paz y de prosperidad, los
5 lagunas, que vivían a doce millas de Ácoma, sufrían hambre y enfermedades. Además eran molestados continuamente por las tribus guerreras que los rodeaban. Todo esto los de la misión de San José de Laguna lo atribuían a una sola cosa. Aunque ellos, como el nombre bien lo indica, estaban
10 bajo la protección del buen santo, no tenían de él ni una imagen siquiera.[2] Un día, un pequeño grupo de los lagunas se presentó en Ácoma para pedir prestado [3] el cuadro. Los ácomas consintieron en prestárselo por un mes solamente. Y así, con la debida ceremonia, los lagunas llevaron el
15 cuadro a su iglesia y ¡ qué milagro más asombroso! Volvieron las lluvias, las tribus vecinas dejaron de molestarlos y las enfermedades disminuyeron. Decidieron, pues, no devolver el tesoro sino retenerlo en Laguna.

Al enterarse de la decisión de los lagunas, los ácomas re-
20 solvieron recobrar el cuadro por la fuerza. ¡ Quién sabe qué resultado habría tenido esta actitud a no ser por [4] la intervención de fray López, cura de Ácoma! Él hizo llamar a éstos y a los lagunas, les predicó confianza en Dios y les mandó resolver el asunto echando suertes.[5] Los dos
25 grupos consintieron en este arreglo y, ¡ otro milagro! ¡ Los ácomas ganaron! Bien se puede imaginar la alegría de éstos cuando el cuadro fué devuelto a su lugar en la iglesia.

Pero ¡ pobre cuadro! No iba a quedarse allí mucho
30 tiempo. Durante la misma noche, los lagunas invadieron la iglesia y lo robaron. La guerra parecía inevitable, pero, gracias al buen juicio del padre López, se evitó una lucha sangrienta. Él hizo todo lo posible [6] por resolver el asunto de manera pacífica. Primero prohibió a los ácomas sacar
35 el cuadro de Laguna y al mismo tiempo mandó a los lagunas devolverlo pocos días después.

[1] **Mientras que,** While. [2] **ni . . . siquiera,** not even . . . [3] **pedir prestado,** to borrow. [4] **a no ser por,** if it were not for. [5] **echar suertes,** to draw lots. [6] **todo lo posible,** everything possible.

Pasaron días, semanas, meses y aún años. Cada vez que los ácomas pedían el cuadro, los lagunas, bajo un pretexto u otro, lograban retenerlo. Así pasaron cincuenta años, durante los cuales los lagunas mantuvieron centinelas de día y de noche [1] para guardar bien el retrato. Al fin los ácomas resolvieron llevar el asunto ante un tribunal, el cual, después de algunos años, decidió que los lagunas debían devolver el cuadro a Ácoma.

Entre ceremonias solemnes, los ácomas se dirigieron hacia Laguna para recobrar su cuadro. ¡ Y entonces tuvo lugar el milagro más asombroso de todos ! En el camino, a unas millas de Ácoma, debajo de un árbol, estaba el santo esperándolos. Los lagunas nunca revelaron cómo llegó hasta allí el cuadro, pero los ácomas creen que el santo, al oír la decisión del tribunal, se puso en camino hacia la iglesia de la que había estado ausente por más de cincuenta años.

[1] **de día y de noche,** day and night.

El conspirador por excelencia

An excellent orator, an extraordinary organizer, a shrewd politician, and a clever strategist; these were the qualifications of a Tewa medicine-man. It took him five years to accomplish what had never before been achieved in the New World — a successful Indian rebellion against the Spanish rule. For ten years he was the supreme ruler of New Mexico and died before the Spaniards, under Diego de Vargas, began the reconquest of the territory. Meet the great Indian rebel, Popé.

La insurrección de los indios de Nuevo México en 1680 (mil seiscientos ochenta) no se llevó a cabo de una vez ni de repente. Los preparativos duraron cinco años. Fueron tan secretos que los españoles no sospecharon y no 5 supieron nada hasta unos días antes de la fecha de la proyectada insurrección. El inspirador de este hecho, sin igual en la historia del Nuevo Mundo, fué Popé, un curandero indio.

La primera salida de Popé se verificó en 1675 (mil seis- 10 cientos setenta y cinco). En aquel año, cuarenta y siete indios fueron acusados de brujería y llevados ante el tribunal de la ciudad de Santa Fe. Una delegación india, encabezada por Popé, se presentó en aquella ciudad para pedir la libertad de los acusados. Dirigiéndose a Juan de 15 Otermín, gobernador de Nuevo México, Popé dijo:

— De parte de [1] todas las tribus indias que por estos lugares se encuentran venimos a pedir justicia. Los acusados no tienen otra culpa que la de retener las costumbres de sus antepasados. Ustedes llegaron a estas regiones de 20 tierras lejanas y no conocen nuestro modo de vivir.[2] Estas

[1] **De parte de,** In behalf of. [2] **modo de vivir,** customs, habits.

tierras son vastas y pueden acomodar no sólo a nosotros sino a ustedes también. Cada uno de nosotros puede vivir en paz y cada uno puede retener sus prácticas y sus creencias. Repito que los acusados no son culpables de otra cosa que la de seguir las costumbres de las tribus indias.

Basta decir [1] que los españoles no escucharon los ruegos de Popé y los acusados fueron ejecutados. Esto fué lo que decidió a Popé a organizar la insurrección contra la autoridad de los españoles en Nuevo México.

Desde principios del siglo XVII los indios habían hecho cinco tentativas distintas para rechazar el poder español que habían resultado otros tantos fracasos. No era fácil organizar a los indios pues éstos nunca habían actuado de acuerdo. Se necesitaba un hombre de prendas extraordinarias como las que tenía Popé para moverlos a obrar de acuerdo y con un solo motivo. Él iba de pueblo en pueblo, de tribu en tribu y hablaba con los principales de los varios grupos. Al fin logró obtener su confianza. Penetró en los lugares más sagrados y aprendió las ceremonias religiosas secretas de las varias tribus. Con la elocuencia extraordinaria que poseía, Popé les hizo creer que él tenía comunicación directa con los poderes sobrenaturales; que los dioses le habían elegido para libertar a todos los indios. Para dar a su obra un carácter dramático, Popé invitó a los principales a Taos, donde él vivía. Quería comprobar lo que él decía.

En una noche muy obscura, los principales llegaron a Taos. Allí en el lugar más sagrado, se reunieron los representantes de las varias tribus indias para comprobar lo que Popé había contado. Popé estaba esperándolos. Después de unas ceremonias misteriosas, él se dirigió a los reunidos y les dijo:

— ¿ Hasta cuándo [2] os vais a dejar dominar por los españoles? ¿ Hasta cuándo vais a permitir a los blancos ocupar las tierras de nuestros antepasados? ¿ Hasta cuándo, decidme, hasta cuándo vais a permanecer es-

[1] **Basta decir,** Suffice it to say. [2] **¿ Hasta cuándo?** Until when?

COURTESY NEW MEXICO STATE TOURIST BUREAU

Taos Pueblo, New Mexico, looms in the background of this wooden bridge. It was around here that Popé laid his plans for his successful rebellion against Spain.

clavos de los vestidos grises y de las barbas largas?[1] Nuestras tierras han sido invadidas por extranjeros. Nosotros somos gobernados por tiranos y cada día aumenta el número de las víctimas. Pero esto no puede continuar. ¡Basta de esclavitud! Ya llegó la hora de emanciparnos. Ya tocó la hora de rechazar la autoridad de los blancos. La tierra es nuestra y la vamos a reclamar. Este vasto territorio nos pertenece y nosotros debemos ocuparlo. ¡Así lo mandan los dioses! ¡Éste es el deseo de los poderes sobrenaturales! ¡Yo soy aquel a quien los dioses han encargado la tarea de libertar a los indios! ¿Deseáis pruebas? Pues, aquí las tenéis. ¡Fijaos bien!

Al decir esto aparecieron dos figuras iluminadas, bailando la danza sagrada de los indios. En la obscuridad de la noche parecían hombres de fuego. Popé había aprendido que los objetos fosforescentes relucen en la obscuridad y se sirvió de este conocimiento para impresionar a los reunidos.

Los pobres indios quedaron atónitos. Ya no les cabía duda de que Popé era un hombre de Dios; era evidente que lo que decía era la pura verdad. Volvieron a sus propios pueblos decididos a seguir las instrucciones de Popé.

Contando con la ayuda de todas las tribus, Popé se puso a organizar el ataque. No omitió esfuerzo alguno[2] para asegurar el éxito de su obra. Con sus propias manos mató a su cuñado a quien juzgó culpable de traición. Al fin ya había terminado todos los preparativos y la insurrección había de tener lugar el 28 de agosto de 1680 (mil seiscientos ochenta). Por cinco años los indios guardaron el secreto. Ninguno de ellos, ni aun los que habían aceptado la fe cristiana, se atrevió a revelar los planes de Popé. Pero veinte días antes de la fecha de la insurrección, dos indios les avisaron a los españoles. Parecía que esta insurrección iba a fracasar como las otras. Pero Popé venció una vez más[3] con su habilidad e inteligencia. Cosa increíble;[4] en

[1] **vestidos grises y barbas largas,** grey robes and long beards; that's what the Indians called the Catholic priests. [2] **no omitir esfuerzo alguno,** to leave nothing undone. [3] **una vez más,** once again. [4] **Cosa increíble,** It's incredible, It's unbelievable.

dos días solamente él logró avisar a todas las tribus, aún a las más lejanas, de la traición; y la insurrección se anticipó diez y ocho días a la fecha para la cual había sido fijada.

Gracias a los avisos oportunos, los habitantes de Santa Fe se salvaron. Los demás españoles, que se encontraban esparcidos por Nuevo México, perecieron a manos de los rebeldes. Todo el trabajo de los españoles — los edificios, las iglesias y las misiones — fué destruido en pocos días, y el dominio español cesó en Nuevo México. Por de pronto la autoridad del rey de España había sido sustituida por el poder absoluto de Popé. Pero hay que añadir que Popé, gobernador, no se parecía en nada a Popé, organizador. Él empezó a cometer las mismas injusticias de que había acusado a los españoles. Era cruel e injusto y siempre anhelaba más poder. Al fin los indios empezaron a rebelarse contra él, lo que precipitó una guerra civil que acabó con [1] la unidad de las varias tribus indias. Cuando los españoles empezaron la reconquista de Nuevo México, no encontraron casi ninguna resistencia.

La restauración del poder español se verificó [2] en 1692 (mil seiscientos noventa y dos) bajo la dirección de Diego de Vargas, pero Popé no la presenció. Había muerto dos años antes, orgulloso de haber arrojado a los españoles de Nuevo México.

[1] **acabar con,** to put an end to. [2] **verificarse,** to take place.

La cúpula de San Xavier del Bac

The unfinished tower in the church of the San Xavier del Bac Mission was, and still is, a mystery. Why wasn't the tower completed? Why would a blemish be left to mar the otherwise perfect architectural masterpiece? Many answers are given but the most natural and obvious reason is rather simple. The Catholic fathers who built the church left the tower unfinished as a monument to one of their comrades who fell from it to his death during its construction.

A una distancia de nueve millas al sur de la moderna ciudad de Tucsón se encuentra San Xavier del Bac. Es la más hermosa misión de la América del Norte y es una maravilla en su género. Su historia es interesantísima y está íntimamente relacionada con la conquista de 5 Arizona por los españoles.

Una antigua misión fué construida en el mismo lugar en el año 1700 (mil setecientos), bajo la dirección del padre Eusebio Kino. En aquel tiempo el sitio donde se encontraba la misión era conocido como el jardín del desierto, 10 porque abundaba en árboles frutales.[1] Durante la vida del venerable padre, la misión gozaba de paz y de prosperidad. Después de la muerte del padre Kino en 1711 (mil setecientos once), las dificultades empezaron y la misión fué abandonada por veinte años. Más tarde los padres jesuítas 15 volvieron a ocupar a San Xavier, pero tuvieron que abandonarla varias veces.

Con la expulsión de los jesuítas de España y de sus colonias, los franciscanos se encargaron de las misiones en

[1] **árboles frutales,** fruit trees.

COURTESY SOUTHWEST MUSEUM, HIGHLAND PARK, LOS ANGELES, CALIFORNIA

The unfinished tower of the beautiful mission of San Xavier del Bac, near Tucson, Arizona, was dedicated as a monument to devotion beyond the line of duty.

el Nuevo Mundo. El padre Garcés se encargó de San Xavier en 1768 (mil setecientos sesenta y ocho). Pero el mismo año la misión fué saqueada y completamente destruida por los indios.

En el mismo sitio donde se encontraba la antigua misión, los padres católicos hicieron construir la que actualmente existe. El nuevo edificio fué terminado en 1797 (mil setecientos noventa y siete), habiendo durado su construcción doce años. La nueva misión no se parece en nada a la antigua. El jardín ha desaparecido y la iglesia se encuentra en el centro del desierto, rodeada de una aldea india.

Con la independencia de México, los franciscanos abandonaron las misiones, y San Xavier quedó abandonada también hasta 1859 (mil ochocientos cincuenta y nueve). Gracias al amor y a la devoción de los indios, el edificio no fué destruido y hoy día sirve de testimonio de la gloria de los tiempos pasados.

Si nos fijamos en la misión de San Xavier podemos notar que una de las torres no tiene cúpula, lo que desfigura la belleza de esta obra perfecta de arquitectura. Algunos piensan que durante los años en que la misión estuvo abandonada, una de las cúpulas se cayó y nunca fué reconstruida. Otros piensan que los padres que hicieron edificar la misión dejaron de construir la cúpula en imitación de las antiguas catedrales de Europa que nunca fueron terminadas. Como no existe ninguna prueba en favor de [1] estas opiniones, se cree que la leyenda que se cuenta acerca de la torre incompleta es la más admisible.

Según la leyenda, uno de los padres subió a la torre durante la construcción de la misión para erigir la cúpula, perdió el equilibrio en lo alto [2] de la torre y cayó al suelo. La caída causó la muerte al padre. Los otros padres decidieron dejar la torre incompleta como monumento al padre infeliz que perdió la vida en San Xavier.

Así pues, se cree que la cúpula nunca fué edificada en recuerdo de aquel sacrificio.

[1] **en favor de,** in favor of. [2] **en lo alto,** on the top.

COURTESY SAN ANTONIO CHAMBER OF COMMERCE

The waters from the San Antonio River changed many barren spots into beautiful gardens and productive farmlands.

El origen del Río San Antonio

Too much water without sunshine often proves disastrous. Too much sunshine without an adequate supply of water spells desert wasteland. This story deals with a happy solution to this intricate problem. The setting is the Texas prairie. The time is the early eighteenth century during the colonization of the Lone Star State by the Spaniards. The theme is water or the lack of it. The chief character is Father Margil, one of the most zealous missionaries. The result is the San Antonio River.

Entre las leyendas de Texas, las que se cuentan del padre Antonio Margil ocupan un lugar prominente. Según una de ellas, cuando el venerable padre murió en la Ciudad de México, las campanas de todas las misiones de Texas se pusieron a tocar sin la ayuda de nadie. Otra leyenda le atribuye a él el origen del Río San Antonio. Existen también muchas otras no menos fantásticas.

El padre Margil fué uno de los que tomaron parte en la expedición enviada de México a Texas a principios del[1] siglo XVIII. Era muy activo y enérgico, y tan pronto como hubo llegado allí, se puso a convertir a los indios a la fe católica. Gracias a sus esfuerzos, se construyeron varias misiones en Texas y una colonia española se estableció en aquel lugar.

Aunque hacía muchos años que los españoles conocían a Texas, sin embargo no habían logrado establecer allí ninguna colonia hasta el siglo XVIII. El primero en pasar por aquel lugar fué Cabeza de Vaca. En 1537 (mil quinientos treinta y siete) llegó a México después de haber

[1] **a principios de,** at the beginning of.

cruzado toda la América del Norte. Cabeza de Vaca trajo noticias de las Siete Ciudades de Cíbola al norte de Texas. Unos años más tarde la expedición de Coronado pasó por aquel sitio cuando se dirigía a Quivira. Desde entonces 5 muchas expediciones pasaron por Texas, pero ninguna de ellas se detuvo allí para cultivar o colonizar aquel vasto territorio. A no ser por la penetración de los franceses, los españoles no habrían ocupado a Texas.

Con la derrota de la Armada Española, los poderes 10 europeos empezaron a penetrar en la América del Norte. Los ingleses establecieron colonias en la costa del Atlántico y los franceses en el Canadá y en Luisiana. Los franceses pasaron la frontera e hicieron esfuerzos para colonizar a Texas. A causa de esta penetración, el gobierno español 15 decidió mandar dos expediciones a Texas para arrojar a los franceses y colonizar aquella región. Estas expediciones, en una de las cuales tomó parte el padre Margil, resultaron en el establecimiento de varios presidios y misiones. La colonia más importante fué la de San Antonio, y entre las 20 misiones, la de San Antonio de Valera, mejor conocida como *El Álamo*. Más tarde esta misión llegó a tomar parte importante en la historia de los Estados Unidos. El Álamo, que hoy día se conserva por el Estado como monumento histórico, fué la cuna de la libertad de los texanos en su 25 lucha para hacerse independientes del poder mexicano.

Según la leyenda, el padre Margil y sus compañeros exploraron la tierra a lo largo del actual Río San Antonio. Pero entonces no había todavía río alguno. Por todas partes se veían vastas extensiones de tierra plana sin una 30 gota de agua. Los viajeros tenían mucha sed.[1] El sol ardiente agravaba los sufrimientos de los exploradores, quienes, agotados, se detuvieron debajo de un árbol y se pusieron a rezar. El único que siguió la busca de agua fué el padre Margil. A poca distancia del lugar donde sus 35 compañeros descansaban, él se había fijado en un árbol en cuya copa había uvas. Para alcanzarlas subió al árbol, pero perdió el equilibrio y para evitar caer al suelo, se

[1] **tener sed,** to be thirsty.

agarró al tronco. Con la fuerza de sus brazos y el peso de su cuerpo, arrancó el árbol de la tierra y en aquel lugar empezó a brotar una fuente de agua dulce. Éste, según la leyenda, fué el origen del Río San Antonio, una de las más importantes corrientes de agua de Texas. 5

COURTESY H. L. SUMMERVILLE, SAN ANTONIO, TEXAS

Many heads, far and near, bowed in prayer when the Angelus chimed from the tower of San José de Aguayo, in Texas, the most beautiful mission east of the Río Grande before it fell into decay and ruin.

Las campanas de San José de Aguayo

Those who know bells and the reason for their sonority doubt whether gold and silver add to the purity of their sound. That, however, is not the case with the bells of the Mission of San José de Aguayo near San Antonio, Texas. Perhaps the spirit of sacrifice is accountable for the tonal quality of the bells in this story. You'll agree that the circumstances under which the bells were cast, according to the legend, might have had something to do with it. *¡ Quién sabe !*

Durante la época de su gloria, la misión de San José de Aguayo era la más hermosa al este del Río Grande. Su arquitectura morisca inspiraba admiración en cuantos la veían. Su cúpula dorada, resplandeciente al sol, se divisaba desde muchas millas de distancia. Esta misión se encontraba a cuatro millas al sur de San Antonio; hoy día es un monumento solitario, recuerdo de tiempos gloriosos.

Empezaron a construir la iglesia en 1718 (mil setecientos diez y ocho). Dos años más tarde, la misión adquirió el nombre de San José de Aguayo, en honor del gobernador de Texas, pero no fué terminada hasta unos cincuenta años más tarde. De esta misión se cuentan muchas leyendas, de las cuales la de sus campanas es una de las más interesantes.

Estas campanas fueron fundidas en España y se conocen por el sonido agradable que producen. Según la leyenda, este sonido se debe al oro y la plata que las campanas contienen. Pero vamos al cuento.[1]

De acuerdo con [2] las costumbres españolas de aquel en-

[1] **vamos al cuento,** let's get to the story. [2] **De acuerdo con,** According to.

tonces, cuando estaban por fundirse campanas destinadas a alguna misión en el Nuevo Mundo, la gente celebraba el hecho con una fiesta. La fundición de las campanas para la misión de San José, por consiguiente,[1] se verificó con la acostumbrada fiesta. Entre los que acudieron a ella, se encontraba la doncella Teresa, cuyo prometido, don Luis, se había ido a Texas en busca de aventuras, prometiendo volver dentro de unos años para casarse con ella. Cuando ya estaban para fundir las campanas, llegaron noticias de que don Luis había muerto en el desierto de Texas y que había sido sepultado en el campo santo de San José de Aguayo. Todos los reunidos quedaron pasmados.

Después de unos momentos de angustia y lamentación, doña Teresa se quitó[2] la cadena gruesa de oro y cuantas joyas su prometido le había regalado y las echó en el crisol. Los demás reunidos, conmovidos por la pasión de la doncella, hicieron lo mismo. De la mezcla de los metales preciosos con los demás salieron esas famosas campanas.

Así pues, cuando las campanas tocan al avemaría, su eco lleva el mensaje de amor de doña Teresa a su prometido don Luis que duerme a la sombra de la misión.

[1] **por consiguiente,** consequently. [2] **quitarse,** to take off, remove.

La historia de un amor fracasado

Among the crumbling ruins of the once proud San José de Aguayo Mission one can still see fragments of beautiful statuary that took Huícar twenty years to create. Little is known about the artist, but it is said that he decided to dedicate the rest of his life to the Church after having learned that his sweetheart had married during his absence. He died soon after his work had been completed, but his art, in which he tried to express the anguish of unrequited love, lived for many years.

La escultura y la ornamentación que han dado fama [1] a San José de Aguayo son obra de Huícar. Aunque sólo trozos de estos adornos quedan hoy día, todos reconocen que son obras verdaderamente artísticas. La fachada y la ventana de la iglesia de aquella misión le ganaron a Huícar un puesto envidiable entre los escultores de su época. Sin embargo, poco se sabe de la vida de este artista. Lo que sí llegó a nuestro conocimiento es una conmovedora leyenda. 5

Huícar era descendiente de una familia de famosos arquitectos moriscos, cuyos antepasados construyeron hace siglos La Alhambra de Granada. Habiéndose agotado las riquezas de la familia, Huícar se decidió a [2] buscar fortuna en el Nuevo Mundo. Despidiéndose de su novia y prometiéndole volver lo más pronto posible para casarse con ella, se fué a Texas. Dentro de poco se hizo rico y estaba para regresar a España cuando recibió la noticia de que su novia se había casado con otro durante su ausencia. Desilusionado, juró no tener nada más que ver [3] con las mujeres y resolvió dedicar el resto de su vida a la Iglesia. 10 15 20

[1] **dar fama,** to bring fame, give renown. [2] **decidirse a,** to decide to.
[3] **no tener nada que ver,** to have nothing to do.

COURTESY PUBLISHERS' PHOTO SERVICE, NEW YORK

This is the façade of San José de Aguayo Mission, Texas, where Huícar's creative spirit stressed the serene and the beautiful.

Allí mismo,[1] en Texas, se le presentó la oportunidad. La misión de San José de Aguayo estaba en construcción y él se encargó de ornamentarla. Por veinte años se dedicó a su obra, en la que, se dice, trató de expresar de manera artística las angustias de su amor frustrado. Cuando la obra al fin estuvo terminada, Huícar parecía ya viejo. Murió poco tiempo después y fué enterrado en el campo santo de San José.

Allí, a la sombra del magnífico monumento al que él contribuyó tanto, descansan los restos de Huícar, uno de los más hábiles escultores de su época.

[1] **Allí mismo,** Right there, In that very place.

El caballero de la cruz

Without the untiring zeal of Father Junípero Serra, the glory of Spain in California might have never been realized. Born in Petra, on the Island of Mallorca, in the Mediterranean, Miguel José Serra had a great vision and an insatiable desire to go places and do things, and he did both. The chain of missions along the entire California coast line, the thousands of Indians converted to the Catholic faith, and the introduction of European civilization on the western slopes are his claims to greatness.

1

Cuando Miguel José Serra era pequeño, ni siquiera sospechaba que algún día iba a tomar parte activa en el Nuevo Mundo. No sabía que iba a figurar entre los más grandes colonizadores de la América del Norte. No 5 soñaba que algún día iba a extender el reino de San Francisco de Asís a lo largo de la costa del Pacífico.

Miguel José Serra nació en el año 1713 (mil setecientos trece) en Petra, isla de Mallorca, la mayor de las Islas Baleares situada en el Mediterráneo. Cuando se hizo 10 sacerdote, cambió de nombre y desde entonces fué siempre conocido por fray Junípero Serra. Desde su temprana juventud soñaba con irse al Nuevo Mundo y dedicarse a convertir a los indios a la fe católica. Sin embargo, sus sueños no se realizaron sino hasta muchos años más tarde. 15 A mediados del [1] siglo XVIII ya se encontraba en México, donde se dedicaba a la obra de sus deseos; la de predicar y enseñar. Aun entonces no sabía que iba a estar relacionado íntimamente con el desarrollo y la colonización de la Alta California.

[1] **A mediados de,** In the middle of.

La Alta California se conocía sólo de oídas [1] y por los relatos de Cabrillo y de Vizcaíno. Cabrillo, como ya sabemos, descubrió el puerto de San Miguel en 1542 (mil quinientos cuarenta y dos). Medio siglo más tarde, Sebastián Vizcaíno hizo una exploración extensa a lo largo de la costa del Pacífico. A él le encargaron la tarea de explorar la costa de California y de procurar más informes acerca de la tierra y de sus habitantes. Además, había de comprobar los rumores que volvieron a contarse sobre la existencia del Estrecho de Anián.

Vizcaíno salió de Acapulco, México, el 5 de mayo de 1602 (mil seiscientos dos) rumbo al norte. A mediados de septiembre ya se encontraba en San Miguel, cuyo nombre cambió al de San Diego. Desde allí marchó hacia el norte, haciendo varias paradas para obtener informes y para proclamar la tierra territorio español. Además de explorar todos los puntos recorridos por Cabrillo, Vizcaíno también descubrió el puerto de Monterey. De toda esta región hizo apuntes detallados, y hasta se le atribuye [2] haber hecho mapas exactos de las dos Californias. Hay que añadir que él tampoco logró descubrir la Puerta de Oro aunque pasó muy cerca de ella.

España necesitaba buenos puertos al norte de México para proteger los barcos españoles de los piratas ingleses. También los necesitaba como lugares de asilo en mal tiempo para los barcos que atravesaban el Pacífico entre las Filipinas y México. Basta decir que nada resultó de la exploración de Vizcaíno. Las dificultades domésticas de España en aquel entonces y la falta de gente de visión y energía no permitían nuevas empresas en el Nuevo Mundo. Así pues, la colonización de California no se llevó a cabo sino hasta siglo y medio más tarde. A no ser por la penetración de un poder extranjero en la costa del Pacífico, los españoles no habrían colonizado a California. Esta vez no fueron los ingleses ni los franceses los que amenazaban las colonias españolas, sino los rusos.

A mediados del siglo XVIII, los rusos, bajo la dirección

de oídas, by hearsay, rumors. [2] **se le atribuye,** he is credited with.

del dinamarqués Vitus Bering, que estaba al servicio del gobierno ruso, hicieron una exploración en la costa del Pacífico. Vinieron de Siberia, pasaron por el Estrecho de Bering y desembarcaron en Alaska. Desde allí siguieron a lo largo de la costa hacia el sur y más tarde lograron establecer una colonia rusa en la Alta California. Para evitar la invasión de los rusos en el territorio que los españoles consideraban suyo, España decidió colonizarlo. Esta tarea fué encomendada a José Gálvez, visitador general del gobierno español en México. Gálvez debía hacer construir presidios, fundar pueblos y edificar misiones, de acuerdo con el plan de colonización de España en aquella época.

Los asuntos civiles y militares fueron encomendados a Gaspar de Portolá. Pero ¿a quién iban a encomendar los asuntos religiosos? Sucedió que el mismo año en el cual decidieron colonizar a California, hubo un cambio en las órdenes religiosas. Los jesuítas fueron arrojados de España y de todas sus colonias. Las misiones de la Baja California, que los jesuítas habían edificado hacía mucho tiempo, pasaron a las manos de los franciscanos. Nombraron al padre Junípero Serra presidente de las misiones de la Baja California y de todas las que se iban a edificar en la Alta California. Puede decirse que el nombramiento de Serra fué uno de los hechos más prudentes ejecutados por Gálvez. Al padre Serra se debe en gran parte el establecimiento de las misiones y la formación de una colonia española en la Alta California.

2

A pesar de la delicada salud de que gozaba, el padre Serra aceptó el encargo. Desde luego hizo preparativos para irse a San Diego. Aquel lugar iba a ser el sitio de la primera misión de la Alta California. Desde allí iba a extender el reino de San Francisco a lo largo de una tierra poco conocida. El sueño del venerable padre iba a realizarse. ¿Qué importaban las dificultades y las privaciones

One of the numerous conceptions of Father Junípero Serra's activities in the building of the California missions.

que abundaban en las nuevas tierras? ¿Qué importaban los esfuerzos vanos de los exploradores en la Alta California desde el siglo XVI? Lo que sí importaba era llevar la fe cristiana a los paganos del norte. A esta tarea decidió el
5 padre Serra dedicar su vida.

La expedición consistía en dos partidas: una iba por tierra y la otra por mar. El padre Serra decidió ir por tierra y llegó a San Diego el primero de julio de 1769 (mil setecientos sesenta y nueve). Desde allí una parte de la
10 expedición, bajo la dirección de Portolá, se dirigió al norte en busca del puerto de Monterey; el padre Serra se quedó en San Diego para edificar la primera misión de la Alta California. A los quince días ya tenía todo arreglado.

La primera misión, muy sencilla y primitiva, no se parecía
15 en nada a las otras misiones que le han dado fama a California. De la rama de un árbol colgaba una campana. Cerca de la campana se encontraba una cruz de madera que los padres hicieron elevar. El terreno de la improvisada misión fué santificado con agua bendita y bautizado
20 con el nombre del santo que iba a llevar la misión. El padre Serra predicó el primer sermón y cantó la primera misa el 16 de julio de 1769 (mil setecientos sesenta y nueve). Con las manos extendidas hacia el cielo, él imploró la ayuda de Dios en esta nueva empresa. Pero los indios no se atre-
25 vieron a venir a ser bautizados. Cosa extraña y sin igual en las demás misiones que se edificaron en el Nuevo Mundo, los indios de San Diego no quisieron tener nada que ver con la misión por muchos meses. Cuando Portolá regresó de su expedición ocho meses más tarde, sin haber hallado a
30 Monterey, decidió abandonar el proyecto y volver a México. La misión se encontraba en mal estado. La mayor parte de la gente estaba enferma y desanimada. El barco que iba a traer provisiones de la Baja California no había llegado y todos sufrían hambre y privaciones.
35 Todos estaban de acuerdo con Portolá menos el padre Serra. Él se negaba a abandonar la misión.

A no ser por la llegada del barco San Antonio, la misión habría sido abandonada. La llegada del barco se conoce como el *Milagro de San Antonio* y llegó a tiempo para salvar la nueva colonia. Sucedió que el capitán de este barco tenía instrucciones de desembarcar en Monterey, pero habiendo perdido una ancla, se detuvo un poco en Santa Bárbara. Allí los indios le dijeron que la expedición a Monterey ya había vuelto a San Diego. El único objeto de desembarcar en Santa Bárbara, según el capitán, fué el de procurar otra ancla.

Es fácil imaginar la alegría de la colonia. El barco no sólo trajo provisiones y vestidos sino que levantó los ánimos y sirvió de estímulo para seguir adelante. Este suceso fué lo que decidió el éxito no sólo de la misión de San Diego sino también el principio de todas las misiones de la Alta California.

Desde julio de 1769 (mil setecientos sesenta y nueve) hasta agosto de 1784 (mil setecientos ochenta y cuatro) los padres hicieron construir nueve misiones. La mayoría de ellas fueron edificadas bajo la dirección del padre Serra. Al fin, el sueño del venerable padre iba a realizarse. El reino de San Francisco se extendía a lo largo de la costa de la Alta California desde San Diego hasta San Francisco. Además de convertir miles de indios a la fe cristiana, el padre Serra y sus compañeros les enseñaban varios oficios. Bajo la enseñanza de los padres católicos los indios se dedicaban a la agricultura y a la crianza de ganado. El padre Serra tenía mucha razón en sentirse feliz al contemplar su obra maestra.[1] Durante catorce años había trabajado sin cesar y ahora ya era viejo y quería despedirse de sus compañeros y amigos antes de morir. A la edad de [2] setenta años salió de Monterey con rumbo a San Diego. Desde allí se puso en camino a pie hacia el norte para visitar todas las misiones. Era débil y estaba enfermo cuando al fin volvió a la misión de San Carlos de Carmelo.

Al llegar a San Carlos de Carmelo a mediados de junio, el padre Serra se puso a arreglar los varios asuntos que tenía pendientes. Se dió cuenta de que iba a retirarse pronto de la vida y quería dejar todo en orden. A mediados

[1] **obra maestra,** masterpiece. [2] **A la edad de,** At the age of.

de julio despachó cartas a todos sus colegas, despidiéndose de los que vivían lejos y pidiendo venir a los que vivían cerca de San Carlos de Carmelo. El único que vino antes de la muerte del venerable padre fué el padre Palou de 5 San Francisco. Diez días después de la llegada del padre Palou, el padre Serra se retiró del mundo. Murió tranquilamente el 28 de agosto de 1784 (mil setecientos ochenta y cuatro).

Statuary Hall es una sala en el Capitolio de los Estados 10 Unidos donde anteriormente se reunían los miembros de la Cámara de Representantes. En 1864 (mil ochocientos sesenta y cuatro) esta sala fué oficialmente designada para guardar las estatuas de los más célebres compatriotas americanos. En esta « Sala de la Fama » también se halla la 15 estatua del primer civilizador de California.

Desde la muerte del padre Serra, California ha cambiado mucho. De una insignificante colonia española se ha convertido en un estado poderoso e importante de los Estados Unidos. La vida pastoral cedió paso [1] a la industria y al 20 comercio, pero la obra del padre es permanente. A lo largo del Camino Real se ven monumentos que conmemoran la gloria del que por primera vez introdujo la civilización europea en California.

El primero de marzo de 1931 (mil novecientos treinta y 25 uno) una estatua del padre Serra fué presentada por el estado de California a la nación norteamericana y colocada permanentemente en *Statuary Hall*. La imagen del padre Serra está colocada frente a [2] la de Wáshington. El primer civilizador de California disfruta del mismo honor otorgado 30 a los norteamericanos más distinguidos.

[1] **ceder paso,** to give way. [2] **frente a,** facing.

La Puerta de Oro

Do you know the origin of the Golden Gate? Many versions are given, but the delightful Indian legend is about as accurate as any of the others. You may have guessed it. If it is a California Indian legend, you are sure to find good and bad spirits — a coyote, an eagle, and of course, Indians. Incidentally you'll meet the real colonizer of San Francisco, Juan Bautista de Anza, and learn something about one of the most successful migrations in the annals of North American history.

Al examinar los planes hechos por Gálvez, el padre Serra se había fijado en algo que no le agradaba.

— ¿ Cómo es — preguntó él — que ninguna de las proyectadas misiones lleva el nombre de nuestro patrono ?

— Si el buen santo quiere una misión en honor suyo — 5
contestó Gálvez — tendrá que mostrarnos un buen puerto para construirla.

En verdad, un buen puerto fué descubierto por Portolá algunos meses más tarde. En busca del puerto de Monterey había ido más al norte, donde uno de sus compañeros 10
descubrió el mejor puerto del Pacífico. El padre Crespi, quien acompañaba la expedición, dijo:

— Pues bien, éste es el puerto donde vamos a edificar la misión a la cual llamaremos *San Francisco de Asís*.

Ésta, sin embargo, no fué edificada sino hasta seis años 15
más tarde. Fué la sexta de las misiones de la Alta California.

El puerto de San Francisco y la ciudad que lleva el mismo nombre tienen una historia muy romántica. Aun antes de la llegada de los españoles se contaban leyendas 20 de la formación de esta bahía. Tal vez [1] se formó muy recientemente. Ésta sería quizás la razón por la cual ni Cabrillo, ni Drake, ni Vizcaíno habían notado el puerto. Aquí tenemos, en parte, la historia de la bahía de San 5 Francisco según una leyenda india:

« Hubo un tiempo en que esta tierra carecía de [2] seres humanos.[3] Toda la región estaba cubierta de agua y rodeada de una cordillera que la separaba del mar. Sus únicos habitantes eran dos espíritus — el espíritu bueno y 10 el espíritu malo — y un coyote. Los dos espíritus siempre peleaban, y al fin el espíritu bueno venció. El coyote vivía en la cima de una de las más altas montañas y llevaba una vida solitaria. Más tarde una águila vino a vivir con él. Después de vivir juntos por muchos años, los dos com- 15 pañeros decidieron poblar la tierra con indios. Con el aumento de los indios el agua iba disminuyendo y más tarde desapareció por completo.[4] El lugar donde había estado el lago se convirtió en tierra fértil. Un día un fuerte temblor derribó las montañas y el agua del mar entró por 20 aquel lugar, transformando aquella región en una bahía. »

Portolá no hizo mucho caso del descubrimiento. Tampoco se dió cuenta de la importancia del puerto. Lo que sí reconoció fué el esfuerzo que requería la colonización de aquel punto. Para establecer una colonia en San Francisco 25 era necesario traer colonos y víveres desde México, por lo menos al principio, y la distancia por mar no permitía tal empresa. Se necesitaba una ruta por tierra desde Sonora para poder llevar a cabo esta obra. De esta tarea se encargó Juan Bautista de Anza, el verdadero colonizador de 30 San Francisco.

De Anza nació en Tubac, en la frontera de Arizona, y tomaba parte en las batallas contra los indios. Se le consideraba buen soldado, muy prudente y enérgico, así como capaz de ejecutar las tareas que se le confiaban. Él se 35 encargó de encontrar una ruta de Sonora a San Francisco y fué el primero en atravesar las Sierras. Habiendo logrado

[1] **Tal vez,** Perhaps. [2] **carecer de,** to be lacking in. [3] **seres humanos,** human beings. [4] **por completo,** completely.

So well hidden lay the Golden Gate that explorers failed to notice it from the sea. Portolá and his men came upon it by accident while exploring California in search of Monterey.

establecer una ruta adecuada, de Anza volvió a México, y año y medio más tarde condujo los primeros colonos a San Francisco.

Fué aquélla una de las más largas y venturosas expediciones de su género en la América del Norte. Constaba de doscientas cuarenta personas: clérigos, militares, hombres, mujeres y niños. De todos los que acompañaban a de Anza, sólo uno murió en el camino, pero hubo también tres nacimientos. Además de llevar todo lo necesario para establecer una colonia, los colonos también llevaban animales domésticos para desarrollar la crianza de ganado en la nueva tierra.

Después de haber escogido sitios propios para el presidio y la misión, de Anza volvió a Sonora. Los españoles por fin [1] lograron establecer a las orillas de La Puerta de Oro la colonia que más tarde llegó a ser una de las más importantes ciudades de los Estados Unidos.

[1] **por fin,** finally.

Un episodio ruso

What did the Russians leave behind them when they left northern California after having occupied it for twenty-eight years? Presumably nothing of importance. The Russians neither stayed long enough nor succeeded in sinking permanent roots into California soil. California was used mainly as a supply station for their colony in Alaska. One thing, however, did remain: a beautiful love story in which Concepción de Argüello and Count Nikolái Petróvich Rezánof were the principal characters.

California fué colonizada por los españoles para impedir la colonización rusa. Sin embargo, los rusos no dejaron de venir. Vinieron de Alaska y al fin lograron establecer una colonia un poco más al norte de San Francisco. Los rusos no se preocupaban de salvar almas ni de convertir a los indios a la fe cristiana. Su objeto era puramente comercial. Trataron de establecer relaciones amistosas con los españoles de más al sur y al fin lograron hacerlo. No se preocupaban de extender el reino ruso fuera de la Málaya Rosía (Pequeña Rusia) en las cercanías de Fort Ross, donde se dedicaban a la caza, a la agricultura y a la crianza de ganado. Desde aquel punto podían enviar provisiones y víveres a su colonia de Alaska.

Los rusos ocuparon la colonia de California por veinte y ocho años y se retiraron de ella. Un pequeño fortín, adquirido más tarde por el estado de California como monumento histórico, es todo lo que queda de la colonia rusa. En aquel sitio se conservan dos edificios de madera: el del fortín y una iglesia griego-católica que los rusos hicieron elevar. No dejaron nada permanente en la Alta California sino un cuento de un amor trágico.

A fines del siglo XVIII, los rusos lograron establecer una colonia en Alaska. Desde allí avanzaban hacia el sur y exploraban las tierras de California. En 1806 (mil ochocientos seis), la colonia rusa de Alaska se encontraba en dificultades. Carecía de víveres y los habitantes sufrían hambre y privaciones. Decidieron enviar una expedición a California bajo la dirección del conde Nikolái Petróvich Rezánof para comprar víveres a los españoles. La expedición llegó a San Francisco y fué bien recibida por los españoles. A Rezánof le alojaron en el domicilio de Argüello, comandante del puerto.

El conde Rezánof era uno de los favoritos de la Corte imperial rusa y el jefe de la Compañía Ruso-Americana. Era un cumplido caballero [1] y un buen diplomático. A él le encargaron la misión de investigar y mejorar las colonias rusas de la América del Norte. Durante su estancia en Alaska se dió cuenta de que la vida de la colonia dependía de su éxito en obtener provisiones de California. Éste fué el objeto que le trajo a San Francisco. A propósito, fué este viaje el que dió por resultado [2] la colonia rusa de California seis años más tarde.

A pesar de que los españoles trataron bien a sus huéspedes, parecía que la misión de Rezánof iba a fracasar. Los españoles tenían sospechas de los rusos y se negaban a venderles provisiones. De repente aparece en escena Concepción de Argüello, hija del comandante, y la situación cambia por completo. Los españoles consienten en establecer relaciones comerciales con los rusos; el barco en que habían venido se hace a la vela cargado de provisiones. Rezánof se despide de California y de los Argüello, prometiendo volver lo más pronto posible. Su misión en cuanto a procurar provisiones ha resultado un éxito completo; la colonia de Alaska está salvada. Pero se ha presentado otro asunto que necesita, para resolverse, no menos ingenio que el de establecer relaciones con los españoles.

Durante las seis semanas que Rezánof había pasado en

[1] **cumplido caballero,** a polished gentleman. [2] **dar por resultado,** to result in.

la casa de los Argüello, se había enamorado de Concepción. Ésta tenía diez y seis años y era muy bella. Tenía los ojos grandes y expresivos, los dientes blancos y bien formados, la figura elegante y otros muchos encantos. Además de poseer todas estas prendas, era sincera y cándida. Aunque Rezánof no sabía casi nada de español y Concepción no hablaba ruso, los dos enamorados se entendían perfectamente. Él le contaba de la Corte rusa y de la vida europea y ella no se cansaba de [1] escucharle. Por fin, los dos decidieron casarse e irse a Rusia. Al principio los padres de Concepción se opusieron al matrimonio, pero al fin consintieron. Lo que faltaba para celebrar las bodas [2] era el permiso de la Iglesia así como el del gobierno ruso. Rezánof se decidió a vencer estos obstáculos. Después de haber arreglado los asuntos en Alaska, se puso en camino hacia Europa, pensando volver dentro de dos años a California y casarse con Concepción.

Pasaban años y Concepción no recibía noticias de Rezánof. Otros pretendientes pedían la mano de ella, pero Concepción no quería tener nada que ver con ninguno de ellos. En vez de casarse, se decidió a dedicar el resto de su vida a la Iglesia e ingresó en la orden dominicana. Cuando se fundó el primer convento en Monterey, Concepción fué nombrada madre superiora. Más tarde, cuando se edificó el convento en Benicia, en las cercanías de San Francisco, ella se trasladó a aquel lugar y pasó allí el resto de su vida. Murió a la edad de sesenta años y sus restos descansan en el campo santo de aquel convento.

Pero, ¿ qué le sucedió a Rezánof ? ¿ Cómo es que no envió ninguna noticia a su prometida en California ? ¿ Qué pasó con los permisos que iba a obtener para poder casarse con Concepción ? Según los informes de Sir George Simpson, quien visitó a San Francisco en 1842 (mil ochocientos cuarenta y dos), Rezánof murió algunos meses después de haber salido de California. Al atravesar por Siberia para llegar a Europa, cayó de su caballo y la herida que

[1] **cansarse de,** to grow tired of. [2] **celebrar las bodas,** to perform the marriage ceremony.

sufrió le causó la muerte. Éstas fueron las primeras noticias de Rezánof llegadas a Concepción. Tenía ella entonces cincuenta y dos años, treinta y seis años después de la despedida de los dos enamorados.

Allá en el rancho grande

A white-walled hacienda, countless acres of land, thousands of cattle, innumerable horses — that was the rancho. Healthy outdoor life, rodeos, bullfights, horse races — those were the principal sports. Singing to the tunes of guitars, dancing in the spacious patios by gay, carefree caballeros clad in velvet, and charming señoritas dressed in silk and mantillas — those were the chief amusements. Visits, fiestas, lavish hospitality, and word of honor — those were the social graces of the most romantic period in California history.

Las misiones establecidas en California no eran el único órgano de colonización. Ellas se ocupaban exclusivamente de [1] la enseñanza de los indios. Sus diversas actividades sólo servían de instrumento para poder mantener los miles de indios que ingresaban en las varias misiones. Para asegurar el dominio español en California era necesario mantener un ejército y traer colonos de otras partes. Con este objeto el gobierno hizo construir presidios y fundar pueblos en las partes más importantes.

Durante el dominio español se establecieron cuatro presidios alrededor de los cuales se formaron pueblos. En estos pueblos vivían las familias de los oficiales, soldados y comerciantes, y eran gobernados por las autoridades militares. No llegaron a gozar de gobierno civil sino hasta muchos años más tarde. Además de los cuatro pueblos militares también hubo tres pueblos que se formaron alrededor de las misiones. Estos pueblos eran gobernados al principio por las autoridades eclesiásticas, pero con el tiempo llegaron a tener gobierno civil.

[1] **ocuparse de,** to busy oneself, attend to.

De la gobernación civil se ocupaban las autoridades civiles elegidas en los pueblos fundados por el gobierno. Esta autoridad constaba de un cuerpo legislativo de quince personas, el ayuntamiento, el jefe del cual era el alcalde. 5 El representante del gobierno central era el comisionado, cuya obligación era la de adelantar los planes del gobierno. Al principio el comisionado nombraba los miembros del ayuntamiento, pero más tarde las autoridades fueron elegidas por los pobladores. Los pobladores vinieron de 10 México y el gobierno se obligó a suplir sus necesidades por cinco años. Durante el régimen español se fundaron tres pueblos: El Pueblo de San José de Guadalupe, El Pueblo de Nuestra Señora la Reina de los Ángeles y Villa Branciforte. Villa Branciforte fué el último pueblo fundado por 15 el gobierno y dejó de existir diez años después de su fundación. Los otros dos seguían existiendo pero no llegaron a ser centros importantes sino hasta muchos años más tarde.

Suele decirse que la colonización española fué un fracaso. 20 Los presidios contaban con un insignificante número de soldados mal equipados. Además carecían de fortificaciones adecuadas para resistir cualquier ataque de poderes extranjeros. Afortunadamente California se encontraba tan lejos de las otras partes del mundo que ningún otro 25 país quería apoderarse de ella. Los rusos sí hicieron un esfuerzo para colonizar la parte del norte de California y no encontraron casi ninguna resistencia. Los pueblos no se encontraban en mejor estado. La pobre selección de pobladores, la escasez de intercambio comercial y de ayuda 30 proporcionada por el gobierno impidieron la iniciativa de los habitantes. Las necesidades eran pocas y la gente se dió a [1] una vida de disipación y de indolencia. Las misiones sí prosperaron, pero esta prosperidad no fué duradera. Tan pronto como el gobierno absoluto cedió paso a uno más 35 democrático, el poder de las misiones disminuyó, y durante el dominio mexicano desapareció por completo.

Hubo también otra forma de colonización, la de los

[1] **darse a,** to take to, devote oneself to.

ranchos, aunque ésta no estaba incluida en el plan original. Los rancheros eran gente de razón.[1] Al principio los propietarios de los ranchos eran los altos oficiales del gobierno u otros dignatarios. Con el tiempo las restricciones se hicieron menos rígidas y cualquier persona de influencia podía obtener terreno gratis. A pesar de que las misiones se oponían a este plan de colonización, los ranchos aumentaban. Modestos al principio, llegaron a ejercer con el tiempo una influencia importante en California. Formaron la base principal de la riqueza del país, no sólo durante el régimen español, sino aún durante la ocupación de California por los Estados Unidos.

Empezaron por[2] comprar ganado de las misiones, pero dentro de pocos años los ranchos contaban con miles de cabezas de ganado y un sinnúmero de caballos. Eran los principales vendedores de cuero y de sebo e introdujeron un lujo jamás visto en California. Cada rancho era una unidad independiente bajo el mando de su dueño o patrón. Los rancheros llevaban una vida activa pero sin inquietudes. Pasaban los días al aire libre,[3] generalmente montados a caballo. Todo el trabajo lo hacían los vaqueros indios bajo la supervisión del patrón o del mayordomo. De las tareas domésticas se ocupaba la patrona, aunque el trabajo lo hacían las criadas indias. Dentro de poco tiempo las indias aprendieron muchos trabajos domésticos: a cocinar, a lavar y a bordar. Las familias generalmente eran numerosas y las casas eran grandes para acomodarlos a todos. Los cuartos daban a[4] un patio espacioso donde tenían lugar todas las funciones sociales. Allí se reunían para celebrar fiestas, bodas y bailes. Allí se reunían para descansar y para recibir a los convidados. Después de cenar, la familia pasaba al patio donde los mayores charlaban y fumaban y los jóvenes bailaban al son de una guitarra. Los californianos eran muy aficionados al baile y casi todos bailaban con habilidad y gracia. No parecía extraño

[1] **gente de razón,** educated persons; in early California, white people of Spanish origin as distinguished from those who had Indian blood. [2] **empezar por,** to begin by. [3] **al aire libre,** in the open air. [4] **dar a,** to face.

COURTESY NATIONAL RAILWAYS OF MEXICO

The patio, with its collection of flowers, its soft Romanic arches, and its tile work, was a most attractive meeting place for the families of old California.

andar a caballo veinte o veinticinco millas para asistir a un baile.

La celebración más importante del año era la del rodeo. No servía solamente para sortear y marcar el ganado de cada rancho, sino también de celebración general en la que todos tomaban parte. Los californianos se consideraban entre los mejores jinetes del mundo, y durante la temporada del rodeo tenían la ocasión de mostrar su habilidad. Había también corridas de toros, carreras de caballos, bailes y música. Los hombres, vestidos con trajes elegantes de terciopelo, montados a caballo, ofrecían un espectáculo muy hermoso. Las mujeres, con sus mantillas y sus peinetas, sus vestidos de seda y sus abanicos, eran el tema de canciones y poemas.

La gente, la vida y el ambiente formaban una mezcla armoniosa que correspondía bien con la vida pastoral de California. Esa tranquilidad, sin embargo, no duró mucho tiempo. El imperio colonial de España empezó a decaer y California cambió de gobierno varias veces. Con la ocupación de California por los Estados Unidos, la vida y las costumbres empezaron a cambiar. La vida pastoral empezó a ceder paso a otra más industrializada y con el tiempo el idilio pastoral desapareció por completo.

En el lugar donde habían estado los ranchos ahora se encuentran ciudades grandes. Berkeley, Long Beach, la mayor parte de Los Ángeles y muchos otros centros importantes eran ranchos cuando California fué anexada a los Estados Unidos. Con el desarrollo del país y con el constante empuje hacia el oeste, California dejó de ser un mundo aparte.

¡ Cosa extraña ! El oro, que era lo que los primeros exploradores españoles buscaban, se encontraba en grandes cantidades en California. Pero el descubrimiento de este metal no se verificó sino hasta después que California había sido anexada a los Estados Unidos. Fué este descubrimiento lo que apresuró la colonización de la parte occidental de nuestro país. Fué el descubrimiento del oro lo que

cambió a San Francisco de una aldea insignificante en una metrópoli. Hoy día el oro forma sólo una pequeña parte de la riqueza del Estado. Después de la ocupación de California por los norteamericanos, la tierra se convirtió en
5 campos fértiles, en jardines primorosos, en centros industriales y en ciudades importantes. La tierra productora y el clima agradable forman la riqueza principal del « Estado de Oro. »

Un idilio pastoral

Intimate contact with nature — the poets' dreams of the ages — never came closer to realization than in pastoral California. Separated from its mother country and removed from the industrial centers of the rest of the world, California was really a pastoral idyl. Along the entire coast line, from San Diego to Sonoma, the territory was dotted with twenty-one missions, several pueblos and presidios, and spacious haciendas of the large ranchos. Outside of agriculture and animal husbandry, there were no industries. The westward movement and the increased facilities in transportation and communication hastened the passing of the pastoral scene.

La ocupación de California por España coincide con el nacimiento de un poder nuevo en el continente americano. Mientras los españoles edificaban misiones en la costa del Pacífico, los norteamericanos, en la costa del Atlántico, rechazaban el poder de Inglaterra. En el mismo año en que el padre Junípero Serra tocó por primera vez la campana [1] de la misión de San Francisco, los norteamericanos hicieron tocar la Campana de la Libertad (*Liberty Bell*) en Filadelfia. En California los españoles trataron de perpetuar un sistema basado en el absolutismo; mientras en la costa del Atlántico, los norteamericanos formaron un gobierno inspirado en doctrinas democráticas. Nadie imaginaba que algún día este gobierno se iba a extender desde el Atlántico hasta el Pacífico. Nadie pensaba que el recién nacido iba a crecer y a convertirse en un gigante y que ocuparía la mayor parte de [2] la América del Norte.

[1] **tocar la campana,** to ring the bell. [2] **la mayor parte de,** the largest part of.

Pero no hay que olvidar que precisamente la colonización de los españoles fué la que hizo posible la conquista de California por los norteamericanos. Fué esta colonización la que puso fin a los planes de los otros países para apoderarse 5 de las tierras situadas a orillas del Pacífico. Vamos a detenernos un poco en la California de la España antigua. Vamos a retardar el tiempo unos ciento cincuenta años para fijarnos un rato en la California pastoral.

Separada de su madre patria así como [1] del resto del 10 mundo, California era en verdad un mundo aparte. Todos los sueños que habían tenido los poetas, hacía siglos, de un contacto íntimo con la naturaleza, se realizaron allí. Esta tierra, que se extendía desde San Diego a Sonoma, era en verdad un idilio pastoral. A lo largo de esta tierra, a orillas 15 del Pacífico, se extendía una cadena de misiones, de presidios, de pueblos y de ranchos. De vez en cuando barcos de México entraban en uno de los magníficos puertos de California. Algunas veces los barcos que atravesaban el Pacífico desde las Islas Filipinas hacia México anclaban [2] en 20 San Francisco, Monterey o San Diego. De tarde en tarde [3] un barco extranjero lograba encontrar asilo en una de las bahías de California, a pesar de que el gobierno español había prohibido la entrada de buques extranjeros allí.

Es fácil imaginar con qué placer esos barcos eran recibidos 25 por los californianos. ¡Y con razón! Los barcos eran el único contacto entre California y el mundo exterior. Además de traer noticias del resto del mundo, también traían las cosas que a los californianos les hacían mucha falta.[4] Todos los muebles, prendas de vestir, vidrio y 30 artículos de lujo venían de la madre patria o de México. Más tarde buques norteamericanos empezaron a venir de Boston y un intercambio comercial se desarrolló entre los yanquis y los californianos. La llegada de un barco siempre se celebraba con una fiesta en la cual todos tomaban parte.

35 Pero sería equivocado pensar que había fiestas sólo durante la permanencia de los barcos en los puertos. Había

[1] **así como,** as well as, just as. [2] **anclar,** to cast anchor. [3] **De tarde en tarde,** Once in a long while. [4] **hacer falta,** to need, be lacking in.

COURTESY FIELD STUDIOS, RIVERSIDE, CALIFORNIA

When day was done, and the dusk brought the cooling breezes from the sea, there was relaxation, music, and dancing in the patio.

muchas fiestas siempre; la llegada de los barcos sólo servía de pretexto para nuevas celebraciones. En una tierra donde el clima era agradable, donde la naturaleza producía con abundancia y donde la gente vivía en paz y tranquilidad, no debe extrañar a nadie el número de fiestas que hicieron célebre a California.

La vida más simple era la de las misiones. Allí los padres se dedicaban a convertir a los indios a la fe católica y a enseñarles varios oficios. Antes de la llegada de los españoles, los indios de California no tenían viviendas permanentes ni sabían cultivar la tierra. Bajo la enseñanza de los padres, los indios no sólo aprendieron a cultivar la tierra y a criar ganado, sino muchas otras cosas. Hay que añadir que los padres eran buenos maestros y los indios hábiles estudiantes. En poco tiempo la tierra virgen alrededor de las misiones se convirtió en campos fértiles y en jardines primorosos. Además de cultivar la tierra y criar ganado, los indios aprendían a construir casas, a cavar zanjas y otros oficios útiles. También tomaban parte en las festividades de las misiones, habiendo llegado muchos de ellos a ser buenos músicos.

Una vez ingresados en una de las misiones, los indios perdían el derecho de volver a su vida anterior. Eran puestos bajo la protección de la Iglesia y tenían que someterse a [1] los reglamentos promulgados por las autoridades. Los padres trataban a los indios bajo su cargo como niños y los castigaban por los delitos que cometían. Según los informes de algunos viajeros extranjeros, el látigo se empleaba a menudo [2] y algunas veces con crueldad.

California carecía de posadas y de hoteles, pero no había necesidad de ellos. Los oficiales del gobierno y los dignatarios eclesiásticos siempre eran alojados en las misiones durante sus visitas. Los pocos extranjeros que visitaban a California también gozaban de los mismos privilegios. Los padres los trataban con la cordialidad y hospitalidad por las cuales California era bien conocida. Además de alojamiento y comidas, los padres también proporcionaban a los

[1] **someterse a,** to submit to, comply with. [2] **a menudo,** often.

viajeros los caballos para seguir el viaje de una misión a la otra, ya que [1] era ésta la única manera de viajar en California. Debe decirse que todos estos servicios eran proporcionados gratis, sin gasto alguno para los viajeros. La única recompensa para los padres era el contacto con el mundo exterior y el placer de pasar unas horas agradables con viajeros y exploradores. 5

Todo el trabajo lo hacían los indios bajo la dirección de los padres. Los hombres se ocupaban de la agricultura, del ganado y de la construcción de viviendas. Las mujeres se ocupaban de preparar y cocinar las comidas, de lavar la ropa y de las demás tareas domésticas. La enseñanza moral y religiosa era simple. Todos tenían que asistir a la iglesia y aprender el catecismo. 10

Aunque los terrenos, las viviendas y el ganado de todas las misiones eran para los indios, éstos no tomaban parte alguna en la administración de esos bienes. Los padres los trataban como niños y no se tomaron el trabajo [2] de prepararlos para gobernarse ellos mismos. Con la secularización de las misiones todo se echó a perder.[3] La importancia de las misiones se perdió para siempre y los indios quedaron en peor estado que antes de la llegada de los españoles. 15 20

La secularización empezó en 1813 (mil ochocientos trece), pero no se llevó a cabo sino hasta casi el fin del régimen mexicano. De acuerdo con el reglamento promulgado por las Cortes de España,[4] los padres fueron despojados del poder temporal. Las misiones con todos sus terrenos y bienes debían ser entregadas a los indios y gobernadas por ellos mismos. Basta decir que los poderes eclesiásticos se opusieron a este reglamento y se aprovecharon de la ignorancia de los indios para impedir la secularización de las misiones. Esta oposición fué un desastre para los indios. Desde la fecha del reglamento hasta 1846 (mil ochocientos cuarenta y seis), hubo muchos cambios en California. 25 30

[1] **ya que,** since, seeing that. [2] **tomarse el trabajo,** to take the trouble. [3] **echarse a perder,** become spoiled, marred. [4] **Cortes de España,** legislative body of Spain.

Durante estos años casi todas las misiones fueron abandonadas; los indios se llevaron el ganado y se fueron a vivir en las rancherías. Mientras tanto, algunas personas, con la ayuda de oficiales del gobierno, se apoderaron de los
5 terrenos de las misiones. Cuando California se hizo parte de los Estados Unidos, los indios ya habían perdido todo lo que a ellos pertenecía. Hasta los edificios mismos de las misiones fueron vendidos o arrendados por los nuevos propietarios. Algunos de los edificios estaban completamente
10 destruidos. El gobierno norteamericano restituyó parte de los terrenos de las misiones a la Iglesia y los edificios arruinados fueron reconstruidos por organizaciones cívicas.

Hoy día las misiones sirven de testimonio de los tiempos pasados. Los edificios glorifican no sólo la obra de los
15 padres franciscanos, sino también la de los indios que los construyeron a costa de mucho trabajo y paciencia.

Nuestra Señora la Reina de los Ángeles

Elaborate were the plans, impressive were the founding ceremonies, but *El Pueblo de Nuestra Señora la Reina de los Ángeles* did not thrive! For over a century, even after its occupation by the United States, the pueblo did not justify the dreams of its founder, Don Felipe de Neve. For over a hundred years it remained a sleepy, lazy village, deeply steeped in lethargy. However, when it did begin to show signs of life, they were those of a giant. This is the romantic story of Los Angeles, the largest city on the Pacific Coast and the fourth largest in the United States.

A pesar de lo modesto de su origen, el segundo pueblo fundado en California ha llegado a ser la ciudad más grande de la costa del Pacífico. De una colonia que constaba de cuarenta y seis almas, El Pueblo de Nuestra Señora la Reina de los Ángeles ha llegado a ser la cuarta 5 ciudad de los Estados Unidos. Sin embargo, esta metrópoli no creció rápidamente. Cincuenta años después de su fundación, el pueblo no justificaba los sueños de su fundador, don Felipe de Neve. A pesar de que el pueblo había sido erigido según un plan, cincuenta años después parecía 10 más bien haber sido levantado sin plan alguno. Las calles eran estrechas y tortuosas, las casas mal construidas y la sanidad estaba en una condición deplorable. Las condiciones no mejoraron sino hasta muchos años después.

Los primeros colonos traídos de México carecían de 15 visión y de energía. Eran gente inculta, de diversos orígenes raciales, que pronto se dieron a una vida de indolencia y disipación. La falta de comunicación con el mundo exterior y de intercambio comercial impedían el desarrollo del pueblo. Pero vamos al principio. 20

En 1775 (mil setecientos setenta y cinco) don Felipe de Neve fué nombrado gobernador de California. Tan pronto como hubo llegado a Monterey, se dió cuenta de que los presidios no eran adecuados para proteger a California contra las invasiones extranjeras ni para resistir las insurrecciones indias. En todo el estado de California había ciento cuarenta soldados y veinte oficiales. Para ofrecer más protección, don Felipe pidió más soldados e hizo reforzar los presidios. También se dió cuenta de que las misiones no habían cultivado bastante terreno para poder alimentar a todos los indios que seguían ingresando en ellas. Para poner fin a estas deficiencias, de Neve promulgó un nuevo plan de misiones en virtud del cual éstas debían ser construidas a una distancia de sesenta millas al este de la costa. Los curas de estas misiones debían dedicar todo el tiempo a la enseñanza de los indios y dejar todos los asuntos comerciales al gobierno. Este plan no se pudo realizar y don Felipe se decidió a fundar pueblos. El primero se fundó a orillas del Río Guadalupe y constaba de nueve soldados y cinco pobladores, todos del presidio de San Francisco. Este pueblo marca la tercera forma de colonización de California por los españoles y es el principio del gobierno civil en este Estado.

Felipe de Neve reconocía que el éxito de esta forma de colonización dependía de la inmigración de colonos de otras partes. Para atraer colonos de México, el gobernador promulgó un reglamento en el cual se hacían constar [1] las obligaciones del gobierno así como los derechos y los deberes de los pobladores. El gobierno se obligaba a proporcionar a los colonos la ayuda necesaria para hacer una vida nueva en una tierra lejana. La ayuda constaba de terrenos, animales domésticos, implementos agrícolas, semillas y efectivo para comprar todo lo necesario. Por cada uno de los dos primeros años el gobierno proporcionaba a cada familia $166.50 y $60.00 por cada uno de los tres siguientes. Además de esto, el gobierno se comprometía a no cobrar impuestos por cinco años. En cambio, los pobladores se

[1] **hacer constar,** to record, make clear.

obligaban a cultivar los terrenos, construir casas, cavar zanjas y defender a California por la fuerza de las armas. Bajo las condiciones de este reglamento se fundó el segundo pueblo de California.

A mediados de 1781 (mil setecientos ochenta y uno) empezaron a llegar los colonos de México. Algunos vinieron por tierra, otros por mar; algunos vinieron de Sinaloa, otros de Sonora. Todos fueron alojados en la misión de San Gabriel hasta septiembre del mismo año. 5

El 4 de septiembre, los recién venidos se reunieron en frente de la misión para comenzar una vida nueva. A la cabeza [1] de la procesión, montado a caballo, se encontraba don Felipe de Neve que había llegado de Monterey para presenciar la fundación del pueblo. Acompañado de clérigos, soldados e indios, el pequeño grupo se puso en marcha hacia el sitio del pueblo. Allí, a orillas del Río Porciúncula, con ceremonias solemnes, se fundó El Pueblo de Nuestra Señora la Reina de los Ángeles, ahora llamado *Los Ángeles*. Consumadas las ceremonias y la distribución de suertes, los pobladores se pusieron a levantar el pueblo. Las casas fueron construidas alrededor de una plaza, de acuerdo con las costumbres de aquel entonces. Fué alrededor de esta plaza que el pueblo se desarrolló lentamente. Aun después de la ocupación de Los Ángeles por los norteamericanos, el pueblo seguía su paso lento y no llegó a ser centro importante sino hacia fines del siglo XIX. Después de esta fecha la ciudad creció rápidamente. 10 15 20 25

Con el rápido desarrollo de la ciudad de Los Ángeles, la parte original del *Pueblo* perdió su importancia. Las primeras casas desaparecieron por completo y las estrechas y tortuosas calles cedieron paso a otras más anchas. Parecía que sólo la plaza y la primera iglesia iban a ser los únicos vestigios de los tiempos pasados. La calle Olvera, una de las más antiguas de Los Ángeles, quedó abandonada y sus casas medio arruinadas. Hubo algunos que desearon eli- 30 35

[1] **A la cabeza,** At the head.

COURTESY LOS ANGELES COUNTY CHAMBER OF COMMERCE

Olvera Street in Los Angeles, in the shadow of the towering city hall — a vestige of long ago when the Pueblo *was an outpost of Spanish rule.*

minar por completo la calle y las casas que hacía algún tiempo eran el orgullo del *Pueblo*.

Gracias a los esfuerzos de unas organizaciones cívicas, la calle Olvera fué restituida a su antigua gloria. Las casas fueron reconstruidas y ahora alojan tiendas, teatros y 5 fondas. Son reproducciones exactas de los tiempos pasados y tienen un soplo del aire de la España antigua.

Hoy día la calle Olvera goza de mucha animación. Carece del movimiento de vehículos, y el medio de la calle está reservado para puestos donde vendedores mexicanos 10 muestran sus mercancías. Todo está arreglado para retener el ambiente de la California pastoral en el centro de una metrópoli norteamericana.

EXERCISES

EN BUSCA DE LA JUVENTUD ETERNA

1

I. *Indicate by* **sí** *if the statement is true and by* **no** *if the statement is false. Base your answer on the story.*

1. El cuento trata de la juventud eterna. 2. El descubridor se llama Cristóbal Colón. 3. Vive en su palacio en la Habana, Cuba. 4. Ponce de León piensa que es fácil hallar la Fuente de la Juventud Eterna. 5. Sus compañeros no están de acuerdo con él. 6. La isla que contiene la Fuente de la Juventud Eterna se llama Biminí. 7. Ponce de León sabe el lugar exacto donde se encuentra la isla.

II. *Combine the phrases in column* A *with the appropriate phrases in column* B *to form complete sentences.*

A	B
1. El palacio de Ponce de León	*a.* con Colón en 1493.
2. La isla Biminí	*b.* que es fácil hallar la Fuente de la Juventud.
3. Los indios son robustos y fuertes	*c.* se encuentra en Puerto Rico.
4. El descubridor de América	*d.* la prolongación de la vida humana.
5. Ponce de León piensa	*e.* el hombre trata de prolongar la vida humana.
6. Desde tiempo muy antiguo	*f.* contiene la Fuente de la Juventud Eterna.
7. La conversación trata de	*g.* se llama Cristóbal Colón.
8. Para hallar la Fuente de la Juventud	*h.* ya tenemos una ruta directa a las Indias.
9. Ponce de León hizo un viaje	*i.* a pesar de su edad avanzada.
10. Gracias a Colón,	*j.* hay que pedir permiso al rey.

III. *Read the following sentences entirely in Spanish.*

1. *Everywhere* se ven muchos indios. 2. Son robustos y fuertes *in spite of* su avanzada edad. 3. Hace siglos que el hombre *tries to* prolongar la vida humana. 4. ¿ Qué *means* la palabra « descubridor » en inglés ? 5. ¿ *How long since* que usted vive en esta ciudad ? 6. *Thanks to* Colón ya tenemos una ruta directa a las Indias. 7. Alguien *has to* encontrar la isla Biminí *for the first time.* 8. ¿ *What matters* lo que piensan los demás ?

2

I. *Answer these questions in Spanish. Base your answer on the story.*

1. ¿ Qué busca Ponce de León en las islas Bahamas ? 2. ¿ Cómo se hace el descubridor con cada desengaño ? 3. ¿ Cómo se sienten los compañeros del descubridor con cada desengaño ? 4. ¿ Qué hay que hacer para encontrar la Fuente de la Juventud Eterna ? 5. ¿ En qué día santo descubre Ponce de León la Florida ? 6. ¿ Qué hace Ponce de León después de proclamar la Florida territorio español ? 7. ¿ En qué año vuelve Ponce de León a desembarcar en la Florida ? 8. ¿ Qué le pasa en el primer encuentro con los indios ? 9. ¿ Cómo se llaman los indios de la Florida ? 10. ¿ En qué isla muere Ponce de León ?

II. *Match the Spanish expressions in column* A *with their English equivalents in column* B.

A	B
1. querer decir	*a.* one has to, one must
2. por todas partes	*b.* How strange !
3. por primera vez	*c.* to be right
4. a pesar de	*d.* it is better
5. a veces	*e.* to mean, signify
6. tener razón	*f.* for the first time
7. hay que	*g.* What does it matter ?
8. más vale	*h.* everywhere
9. ¡ Qué cosa más extraña !	*i.* in spite of
10. burlarse de	*j.* at times
11. ¿ Qué importa ?	*k.* thanks to
12. por lo pronto	*l.* to make fun of
13. en verdad	*m.* for the time being
14. gracias a	*n.* in truth, in fact

III. *Rearrange the following words to form complete sentences.*

1. León, la, Ponce, de, Juventud, busca, la, Eterna, Fuente, de.
2. hace, viejo, más, con, desengaño, cada, se.
3. existe, la, de, Eterna, la, no, Fuente, Juventud.
4. tienen, órdenes, ustedes, aquí, a, me, sus.
5. Florida, hoy, de, Pascua, el, es, día.
6. poco, el, parece, preocupado, un, descubridor.
7. a, apresura, España, se, volver, a.
8. territorio, para, isla, proclamar, la, desembarca, español.
9. salvar, la, del, demasiado, para, descubridor, es, vida, tarde.
10. Cuba, de, León, en, muere, Ponce.

DESDE LA CUMBRE DEL DARIÉN

1

I. *The following statements are false according to the story. Furnish complete statements that are true.*

1. La Española está en España. 2. Martín Fernández de Enciso se dedica a la agricultura. 3. Vasco Núñez de Balboa vende barriles en la colonia española. 4. Extremadura es la capital de Cuba. 5. De la vida temprana de Balboa sabemos mucho. 6. A Balboa no le gustan las aventuras. 7. Los españoles queman la colonia de San Sebastián. 8. Fernández de Enciso deja a Balboa en una isla.

II. *Read the following sentences entirely in Spanish.*

1. El barril no contiene *neither* provisiones *nor* armas. 2. *In short,* todos los conquistadores son valientes. 3. *They dream of* conquistas y aventuras. 4. Yo *am very fond of* las aventuras. 5. Todos hablan y gritan *at the same time.* 6. *Within a short time* nos encontramos lejos de la isla. 7. Llegamos *a short time ago.* 8. *What's to be done now?* — Nada en particular.

III. *Read the following sentences, replacing the dashes with the proper prepositions where needed.*

1. Hace los últimos preparativos —— irse —— España. 2. Sube —— bordo —— el barco. 3. Sale —— busca ——

riquezas. 4. El que sueña —— aventuras no puede quedarse —— un lugar fijo. 5. Se dedica —— la agricultura. 6. Dentro —— poco se encuentra —— apuros. 7. Se apresura —— volver —— España. 8. Viene —— presentarse —— nosotros. 9. Piensa —— hacer un viaje —— mar. 10. La colonia fué abandonada —— los españoles.

IV. *Combine the phrases in column* A *with the appropriate phrases in column* B *to form complete sentences.*

A	B
1. Fernández está haciendo los últimos preparativos	*a.* y es muy aficionado a las aventuras.
2. Entre los barriles llevados a bordo	*b.* con objeto de dedicarse a la agricultura.
3. Vasco Núñez de Balboa es español	*c.* que puede suceder en un viaje por mar.
4. A la edad de veinte y cinco años	*d.* encuentra la colonia abandonada por los españoles.
5. Al llegar a San Sebastián	*e.* no puede quedarse en un lugar fijo.
6. Se establece en la Española	*f.* para irse a San Sebastián.
7. Un hombre que sueña con conquistas	*g.* la juventud del descubridor del Pacífico.
8. Nadie sabe lo	*h.* hay uno que contiene un ser humano.
9. Poco sabemos de	*i.* Balboa se presenta ante el capitán del barco.
10. Cuando el barco ya está lejos de la isla,	*j.* ya se encuentra en las Indias en busca de riquezas.

2

I. *Answer these questions in Spanish. Base your answer on the story.*

1. ¿Cómo se llama la nueva colonia establecida por los españoles al otro lado del Golfo de Urabá? 2. ¿A quién nombran jefe de la nueva colonia española? 3. ¿Con quiénes forma alianzas? 4. ¿Quién es Panquiaco? 5. ¿Qué le cuenta Panquiaco a Balboa? 6. ¿Cómo se llama el conquistador del imperio inca?

7. ¿Qué hace Martín Fernández de Enciso? 8. ¿Qué noticias vienen a Balboa desde España? 9. ¿De qué depende la salvación de Balboa? 10. ¿Con cuántas personas se dirige Balboa hacia las montañas? 11. ¿Qué es lo que observa desde la cumbre? 12. ¿De qué manera toma Balboa posesión de las nuevas regiones? 13. ¿A qué edad muere Balboa? 14. ¿Dónde muere?

II. *Rearrange the following words to make complete sentences.*

1. su, respeto, sus, le, conducta, de, compañeros, gana, el.
2. tarde, forma, más, Comagre, poco, una, alianza, con.
3. cumbre, el, llega, pequeño, a, grupo, la.
4. el, grande, delante, mares, los, está, nosotros, de, más, de.
5. españoles, encuentra, Francisco, entre, Pizarro, los, se.
6. salvación, tierras, su, depende, del, nuevas, en, descubrir, éxito.
7. dispuesto, rey, reemplazarle, el, a, está.

III. *Complete the sentences by choosing the appropriate ending from* **a, b,** *or* **c.**

1. La colonia de San Sebastián se traslada al otro lado
   a. del mundo.
   b. de las montañas.
   c. del Golfo de Urabá.
2. La conducta de Balboa le gana
   a. mucho dinero.
   b. el respeto de sus compañeros.
   c. muchos enemigos.
3. Los españoles hacen mucho caso
   a. de la amistad de los indios.
   b. del clima del país.
   c. del oro.
4. Los indios transforman el oro en vasijas para
   a. sus usos más comunes.
   b. celebrar una fiesta.
   c. combatir a los españoles.
5. El Perú se encuentra en
   a. la parte central de España.
   b. el Golfo de México.
   c. la América del Sur.
6. Los habitantes antiguos del Perú se llaman
   a. amazonas.
   b. mayas.
   c. incas.
7. Desde la cumbre del Darién, Balboa contempla por primera vez
   a. la Sierra Nevada.
   b. el imperio inca.
   c. el más grande de los mares.

8. Balboa toma posesión del Pacífico en el nombre de
   a. Cristóbal Colón.
   b. los reyes de España.
   c. la Iglesia Católica.

9. Con la espada en una mano y la bandera de España en la otra, Balboa
   a. se despide de sus compañeros.
   b. se presenta ante Martín Fernández de Enciso.
   c. entra en el agua hasta las rodillas.

10. El nuevo gobernador enviado de España
    a. le nombra a Balboa jefe de la nueva colonia española.
    b. le manda volver a España.
    c. le condena a muerte.

A TRAVÉS DEL CONTINENTE AMERICANO

1

I. *Answer these questions in Spanish. Base your answer on the story.*

1. ¿Dónde van los indios a pasar la noche? 2. ¿A qué hora hacen los preparativos? 3. ¿Cómo se llama el español que se encuentra entre los indios? 4. ¿Cómo se sabe que él trabaja mucho? 5. ¿Cuántos extranjeros se encuentran al otro lado del río? 6. ¿Cómo se llama el río? 7. ¿Quién es Estebanico? 8. ¿A qué se debe el encuentro entre los cuatro extranjeros? 9. ¿De qué hablan los cuatro compañeros? 10. ¿Qué les contesta Cabeza de Vaca? 11. ¿Cuál es el plan de Cabeza de Vaca para regresar a España? 12. ¿Por qué piensa que los indios no los van a molestar? 13. ¿Están los otros esclavos de acuerdo con Cabeza de Vaca? 14. ¿A qué hora se ponen los cuatro viajeros en camino hacia el oeste?

II. *Read these sentences entirely in Spanish.*

1. ¿*What is the name of* el moro? 2. ¿A qué hora *takes place* el encuentro? 3. *What a miracle!* — exclama Cabeza de Vaca. 4. *Instead of* quejarnos, más vale darle gracias a Dios. 5. Los demás ya descansan *at the bottom* del mar. 6. *What bad luck!* — exclama Estebanico. 7. Los demás *are in agreement* con Cabeza de Vaca. 8. *There is no danger.* Los indios piensan que somos médicos. 9. Cabeza de Vaca *sets out* hacia el oeste.

III. *Choose from column* B *the phrases that explain the words in column* A.

A	B
1. desnudo	*a.* una corriente de agua
2. esclavo	*b.* uno que no pertenece a la raza blanca
3. hombre	*c.* los primitivos habitantes de las Américas
4. moro	*d.* uno que no lleva ropa
5. extranjero	*e.* una parte del día
6. río	*f.* uno que no pertenece al país en donde se encuentra
7. noche	*g.* ser humano
8. indios	*h.* uno que no es libre

2

I. *Form questions to the answers given in the following sentences.*

1. De todas partes vienen enfermos a curarse. 2. Los médicos no quieren quedarse en un lugar fijo. 3. Los viajeros piensan sólo en seguir la marcha. 4. No hay que asistir a ninguna escuela para ser médico. 5. Cabeza de Vaca está seguro de que el oficio de médico es la única manera de salvar su vida. 6. Su forma de curar consiste en recitar unas oraciones. 7. Esta manera de curar no puede hacer daño a nadie. 8. Cabeza de Vaca nos da una descripción del búfalo norteamericano. 9. Los viajeros siguen la marcha a través del continente por ocho años. 10. Al llegar a la costa del Pacífico, los viajeros se encuentran otra vez con españoles.

II. *Complete the sentences by choosing the most suitable phrase from* a, b, *or* c.

1. De todas partes vienen personas a
   a. visitar a los españoles.
   b. vender cosas útiles.
   c. curarse.

2. Al principio sólo Cabeza de Vaca
   a. ejerce el oficio de médico.
   b. cuenta cosas fantásticas.
   c. escapa hacia el oeste.

3. Está seguro de que es la única manera de
   a. curar a los enfermos.
   b. escapar de España.
   c. salvar su vida.

4. Con el aumento de los enfermos los otros tres
   a. no se atreven a escapar.
   b. siguen su marcha.
   c. también se hacen médicos.

5. La manera de curar consiste en
   a. arrojar a los enfermos al río.
   b. quemar los edificios de los indios.
   c. recitar un padrenuestro y una avemaría.

6. Cabeza de Vaca sigue su nuevo oficio
   a. de mala gana.
   b. con mucho placer.
   c. sin vacilar.

7. La marcha continúa con
   a. mucha alegría y solemnidad.
   b. sólo el sol para guiarlos.
   c. ceremonias misteriosas.

8. Al llegar a la costa del Pacífico los viajeros se encuentran con
   a. unas tribus guerreras indias.
   b. un grupo de españoles.
   c. muchos animales feroces.

9. Llegan a la costa del Pacífico
   a. sin curar a los enfermos.
   b. después de andar por ocho años.
   c. para recoger frutas.

III. *Read the following sentences entirely in Spanish.*

1. La fama de los médicos se aumenta *rapidly*. 2. Los viajeros sólo *think about* regresar a España. 3. *At the beginning* los indios los tratan bien. 4. El buen muchacho prepara sus lecciones *willingly*. 5. Todos tienen que *attend* a la escuela. 6. El remedio *consists of* recitar unas oraciones. 7. Anda desnudo y descalzo y *resembles* los indios. 8. *In my opinion*, esta lección es más fácil que la otra. 9. Después de andar por muchos años, los viajeros *finally* llegan a la costa del Pacífico.

A ORILLAS DEL MISISIPÍ

1

I. *Answer these questions in Spanish. Base your answer on the story.*

1. ¿De qué conquistas habla todo el mundo en 1537? 2. ¿Qué están dispuestos a hacer muchos? 3. ¿Adónde quieren irse después de vender sus bienes? 4. ¿Qué esperan los aven-

tureros encontrar en la Florida? 5. ¿Quién es el conquistador que acaba de regresar del Perú? 6. ¿A qué edad encontramos a Hernando de Soto en las Indias? 7. ¿Cuáles son los rasgos característicos del nuevo gobernador de Cuba? 8. ¿Cuándo se hace cruel y sanguinario? 9. ¿Qué efecto produce en España el nombramiento del nuevo adelantado de la Florida? 10. ¿De dónde acuden muchos nobles a Sevilla? 11. ¿Hay lugar en los barcos para acomodar a todos? 12. ¿Cuántas personas escoge Hernando de Soto? 13. ¿Cómo se llama la esposa de Hernando de Soto? 14. ¿Cómo se llama el puerto de donde salieron rumbo a la Florida?

II. *Read the following sentences entirely in Spanish.*

1. *Everybody* habla de aventuras y conquistas. 2. Mi hermano *has just arrived* de Cuba. 3. Nadie *dares* hacer un viaje por mar. 4. Hacia el fin, el conquistador *becomes* cruel. 5. El conquistador del Perú *enjoys* gran fama. 6. Se despiden de sus amigos *in the midst of* grandes festividades. 7. El barco sale de San Lúcar *on the way to* Cuba. 8. Van *in search of* las más grandes riquezas todavía por descubrir.

III. *Rearrange the following words to make complete sentences.*

1. hoy, amigo, de, viene, mi, México.
2. España, rumbo, barco, a, sale, de, el, Cuba.
3. noticias, a, toman, las, toda, sorpresa, por, España.
4. de, gran, salud, goza, buena, de, fama, y, conquistador, el.
5. acompañarle, Sevilla, acuden, a, Mundo, muchos, al, Nuevo, para.
6. al, novia, regresar, con, España, se, a, casa, su.
7. dinero, español, el, todo, gasta, el, tiene, que.

2

I. *Read the following sentences entirely in Spanish.*

1. *The greater part of* los que acuden a Sevilla quieren acompañar a Hernando. 2. La belleza de Isabel es conocida *everywhere.* 3. No quiere casarse con ningún otro porque *she is in love with* Hernando. 4. Hay que *be careful* de amigos traidores. 5. *For the first time* en quince años *I receive news* de mi hermano. 6. El éxito de Cortés *serves to confirm* la creencia en las riquezas.

7. Después de dos años están separados *again.* 8. *As a matter of fact,* Isabel prefiere retirarse a un convento *instead of* casarse con alguno de ellos.

II. *Rearrange the following words to form complete sentences.*

1. no, noticias, Isabel, de, recibe, años, por, ningunas, quince, Hernando.
2. dos, solemnidades, casan, se, los, y, entre, alegría.
3. está, Isabel, de, enamorada, Hernando.
4. dicen, los, oro, hay, hacia, que, norte, el, mucho, indios.
5. lleva, desconocidas, los, marcha, por, la, tierras.
6. restos, en, descansan, fondo, el, de, su, del, los, explorador, río.
7. soldados, de, cincuenta, vivos, los, quedan, sólo, trescientos.
8. vez, por, años, primera, once, español, Ortiz, en, hablar, oye.

III. *Combine the phrases in column* A *with the appropriate phrases in column* B *to form complete sentences.*

A	B
1. Cerca de Badajoz se encuentra	*a.* esposa en la Habana y se dirige hacia la Florida.
2. La hermosura de Isabel	*b.* vamos a ver quién es Isabel.
3. De Soto se despide de su	*c.* se juran eterno y tierno amor.
4. Mientras Hernando cruza el canal,	*d.* Isabel prefiere retirarse a un convento.
5. En vez de casarse con otro	*e.* es conocida en todas partes.
6. Al despedirse, los dos enamorados	*f.* un antiguo castillo que pertenece a los Bobadilla.
7. Un amigo traidor es más	*g.* y se casa con Isabel.
8. Aunque no recibe ningunas noticias	*h.* peligroso que mil enemigos.
9. Hernando regresa rico y famoso	*i.* encuentra de nuevo entre españoles.
10. Dos días más tarde	*j.* tierra que contiene mucho oro.
11. Por primera vez en once años se	*k.* Isabel está segura de que Hernando va a volver.
12. Más allá al norte, hay una	*l.* llegan a un pueblo indio.

I. *Form questions in Spanish to the answers given below.*

1. Todos esperaban encontrar muchas riquezas al norte de México. 2. Una de las leyendas más famosas era la de las Siete Ciudades de Cíbola. 3. Las Siete Ciudades, según las leyendas, se encontraban al norte de México. 4. Los techos y las paredes estaban cubiertos de puro oro. 5. Antes de 1537 salieron tres expediciones en busca de Cíbola. 6. Cabeza de Vaca oyó hablar de ciudades grandes y ricas. 7. Fray Marcos de Niza era italiano y pertenecía a la orden de San Francisco. 8. Estebanico acompañó a fray Marcos para mostrarle el camino. 9. No se sabe de qué manera murió Estebanico. 10. Desde un sitio alto observó las ciudades de abajo. 11. Le pareció haber visto casas grandes de piedra. 12. Se apresuró a volver a México para contar sus descubrimientos.

II. *Match the Spanish expressions in column* B *with their English equivalents in column* A.

A	B
1. instead of	*a.* pensar en
2. by means of	*b.* consistir en
3. to think about	*c.* por medio de
4. at last	*d.* todo el mundo
5. at the beginning	*e.* en vez de
6. to consist of	*f.* en medio de
7. everybody	*g.* hacer una pregunta
8. in the midst of	*h.* al fin
9. to ask a question	*i.* de vez en cuando
10. from time to time	*j.* al principio
11. from a distance	*k.* desde lejos

III. *Read the sentences, replacing the dashes with the appropriate word or words to form logical sentences.*

1. Las casas estaban adornadas de —— y de piedras ——. 2. La enfermedad se puede curar —— de oro. 3. Una de las leyendas más —— era la de las Siete Ciudades. 4. Tres expediciones salieron en —— de ellas, pero volvieron sin haberlas ——. 5. Fray Marcos decidió —— esas ciudades y convertir a los —— a la fe católica. 6. Estebanico era uno de los —— de

Cabeza de Vaca en su marcha por el —— americano. 7. Durante la expedición, el moro iba —— para explorar la tierra. 8. Estebanico entró solo y —— volvió a salir.

IV. *An antonym is a word which is the opposite in meaning of another word in the same language. Match the words in column* B *with their antonyms in column* A.

A	B
1. poco	*a.* allá
2. aquí	*b.* frío
3. delante	*c.* fuera
4. dentro	*d.* derecho
5. caliente	*e.* lejos
6. acá	*f.* mal
7. izquierdo	*g.* bajo
8. cerca	*h.* allí
9. bien	*i.* mucho
10. alto	*j.* detrás

LA MARCHA DE CORONADO

I. *Answer the following questions in Spanish. Base your answer on the story.*

1. ¿Qué efecto produjeron los relatos de fray Marcos en la Nueva España? 2. ¿Qué pruebas trajo para confirmar lo que decía? 3. ¿A quién fué encargada la expedición? 4. ¿Quién llegó de la Ciudad de México para despedir a los aventureros? 5. ¿Quién iba a servir de guía para mostrar a Coronado el camino? 6. ¿Qué encontraron los españoles en vez de una ciudad rica? 7. ¿Por qué se vió fray Marcos obligado a volver a México? 8. ¿Con quién se encontró uno de los exploradores cerca de Tiguex? 9. ¿Cómo se llamaba la tierra natal del Turco? 10. ¿De qué está adornado el árbol donde el jefe de Quivira duerme la siesta? 11. ¿Cómo se llama el estado donde está el lugar que se llamaba Quivira? 12. ¿Cuántos años duró la expedición de Coronado? 13. ¿Logró Coronado hallar las riquezas de las cuales oyó hablar? 14. ¿Con cuántas personas volvió Coronado a México? 15. ¿Volvió Coronado a tomar parte en conquistas? 16. ¿Por qué estuvo encarcelado? 17. ¿Qué puesto ocupa Coronado entre los exploradores?

II. *Combine the phrases in column* A *with the appropriate phrases in column* B *to form complete sentences.*

A	B
1. Los relatos de fray Marcos	*a.* se reunieron en Compostela.
2. Nadie dudó que el fraile	*b.* los exploradores no encontraron nada.
3. No quedó otra cosa que hacer	*c.* en barcos adornados de oro.
4. Todos los que iban a tomar parte	*d.* el Turco los había engañado.
5. Fray Marcos se encontraba	*e.* en riquezas enormes.
6. Fuera de desengaños	*f.* y recibió una herida en la cabeza.
7. La tierra abunda	*g.* tomaron la Nueva España por asalto.
8. Los habitantes cruzan el río	*h.* entre los que iban a tomar parte en la expedición.
9. Las campanillas producen un sonido agradable	*i.* decidieron seguir al Turco.
10. Por dos años marcharon por tierras desconocidas	*j.* sino enviar una expedición de conquista.
11. Se dieron cuenta de que	*k.* cuando el viento pasa por las hojas.
12. Sin pensar mucho los españoles	*l.* y mandó expediciones a todas partes.
13. Coronado cayó de su caballo	*m.* pero nada de riquezas.
14. Dividió sus tropas	*n.* logró descubrir las ricas tierras del norte.
15. Descubrieron muchas cosas curiosas	*o.* y llegaron hasta el estado actual de Kansas.
16. El resto ya	*p.* los más grandes exploradores.
17. Coronado figura entre	*q.* no es difícil de adivinar.

III. *Read the following sentences entirely in Spanish.*

1. Fray Marcos *was compelled* a volver a la Ciudad de México. 2. Se puso en camino *as soon as* recobró bastante la salud para seguir adelante. 3. Uno de los exploradores *met* un indio de Quivira. 4. Al llegar a Cíbola, *he realized* que había sido engañado. 5. El soldado se queja porque *he is hungry*. 6. Le acusaron a Coronado de *neglecting* sus deberes. 7. Al fijarse en el

mapa de la América del Norte, uno *has to* admirar la obra de Coronado.

LA ISLA ENCANTADORA

I. *Answer the following questions in Spanish. Base your answer on the story.*

1. ¿ Cómo se llama el autor de *Las Sergas de Esplandián?* 2. ¿ En qué año vió la luz esta novela ? 3. ¿ Dónde se encuentra esta isla ? 4. ¿ Son hombres o mujeres los habitantes de aquella isla ? 5. ¿ Cómo se llama la reina de la isla ? 6. ¿ De qué metal son las armas ? 7. ¿ Qué hizo Cortés para hallar y conquistar la isla ? 8. ¿ Quién descubrió la isla ? 9. ¿ Cómo la llamó Cortés ? 10. ¿ Quién descubrió que la « isla » era parte del continente americano ? 11. ¿ Qué cambio tuvo lugar al saberse que Santa Cruz no era isla ? 12. ¿ Tuvo éxito o fracasó la empresa de Cortés ? 13. ¿ Con qué seguía soñando todavía el conquistador ? 14. ¿ Adónde fué Cortés a pedir la ayuda necesaria para seguir con su plan ? 15. ¿ De qué se dió cuenta al llegar a España ? 16. ¿ En qué país pasó el resto de su vida ? 17. ¿ Volvió Cortés a tomar parte activa en conquistas ?

II. *Match the Spanish expressions in column* A *with the English equivalents in column* B.

A	B
1. hacer una pregunta	*a.* at least
2. desde lejos	*b.* as soon as
3. por medio de	*c.* since
4. por lo menos	*d.* ask a question
5. acerca de	*e.* to neglect
6. puesto que	*f.* as for
7. tan pronto como	*g.* about
8. en cuanto a	*h.* from time to time
9. de vez en cuando	*i.* by means of
10. faltar a	*j.* from afar

III. *Rearrange the following words to form complete sentences.*

1. piensan, se, novela, que, muchos, en, una, encuentra.
2. isla, se, cuentos, de, encantadora, una, contaban.

3. California, de, expediciones, busca, varias, en, despachó.
4. sino, descubrió, no, isla, que, era, península.
5. abandonó, aunque, la, fracaso, colonia, no, resultó, un.
6. la, cuando, de, isla, el, entonces, Cortés, fué, cambió, nombre.
7. gloria, todavía, y, con, soñaba, conquistas.
8. que, tenía, de, cuenta, se, amigos, dió, no.

IV. *Read the sentences, replacing the dashes with the appropriate word or words to form logical sentences.*

1. Calafia —— reina de California. 2. Las mujeres —— robustas y fuertes. 3. Cortés quería —— a California. 4. Para hallar la isla, Cortés —— varias expediciones al norte. 5. Se contaban cuentos de una isla ——. 6. La colonia de Santa Cruz no resultó ——. 7. La colonia de Santa Cruz fué el primer —— para colonizar a California. 8. El autor de *Las Sergas de Esplandián* se llamaba ——.

EL MISTERIO DEL NORTE

I. *Answer these questions in Spanish. Base your answer on the story.*

1. ¿ Qué clase de cuentos se contaban aún antes del descubrimiento de América ? 2. ¿ Qué buscaban los españoles en el Nuevo Mundo ? 3. ¿ Cómo se llamaban los dos lugares que debían contener mucho oro ? 4. ¿ Cómo se llamaba el estrecho que debía juntar el Mar del Norte con el Mar del Sur ? 5. ¿ Por qué pensaban algunos que tal estrecho existía ? 6. ¿ Cómo se llamaban algunos de los exploradores que « descubrieron » el Estrecho de Anián ? 7. ¿ Por qué otro nombre se conocía a Valerianos ? 8. ¿ Por cuántos años fué marinero ? 9. ¿ Cómo se llama la entrada de Puget Sound ? 10. ¿ Cuál era una de las ambiciones secretas de Cortés ? 11. ¿ En qué resultaron las expediciones de Cortés en el Pacífico ? 12. ¿ Logró Cortés encontrar el Estrecho de Anián ? 13. ¿ Cómo se llama la península que Cortés trató de colonizar ? 14. ¿ Quién continuó la obra de Cortés ? 15. ¿ En qué resultaron las muchas expediciones despachadas al Norte de México ? 16. ¿ Logró Mendoza llevar a cabo el fin deseado ?

II. *Rearrange the following words to make complete sentences.*

1. perdían, al, nada, repetirse, veces, no, los, cuentos, muchas.
2. españoles, conquistas, los, buscaban, siempre, nuevas.
3. Anián, del, cuentos, se, fantásticos, Estrecho, de, contaban.
4. exploradores, el, sólo, en, imaginación, de, estrecho, los, existía, la.
5. muchos, dos, atención, merecen, entre, exploradores, los, nuestra.
6. de, fué, Fuca, por, Juan, años, marinero, cuarenta.
7. en, California, los, Cortés, el, esfuerzos, resultaron, de, descubrimiento, de.
8. de, Mendoza, expedición, tras, despachó, al, norte, expedición, México.

III. *Complete the sentences by choosing an appropriate phrase from either* **a**, **b**, *or* **c**.

1. Según las leyendas el Estrecho de Anián se encontraba
   - *a.* en la parte occidental de España.
   - *b.* en el sudoeste de los Estados Unidos.
   - *c.* al norte de México.
2. El Estrecho de Anián debía juntar
   - *a.* las tierras de Quivira con las de Cíbola.
   - *b.* el Mar del Norte con el Mar del Sur.
   - *c.* los países de Europa con los de América.
3. Gaspar Cortereal hizo un viaje al Labrador y
   - *a.* allí descubrió el estrecho.
   - *b.* dió una batalla a los indios.
   - *c.* allí se quedó por el resto de su vida.
4. Dos exploradores merecen nuestra atención porque
   - *a.* descubrieron el Estrecho de Anián.
   - *b.* invadieron y conquistaron muchos países.
   - *c.* su imaginación los llevó más lejos que a los demás.
5. Valerianos era un marinero viejo que
   - *a.* estaba al servicio del gobierno español.
   - *b.* trataba de conquistar el imperio inca.
   - *c.* descubrió el mar más grande del mundo.

6. Hoy día sabemos que
   a. Juan de Fuca descubrió el Estrecho de Anián.
   b. No existe nada de verdad en lo que decía Juan de Fuca.
   c. un país en la América del Sur se llama Juan de Fuca.

7. La entrada de Puget Sound se llama Juan de Fuca porque
   a. el explorador nació en aquel lugar.
   b. así mandó el rey de España.
   c. existe una semejanza entre esta entrada y la del relato de Juan de Fuca.

8. Una de las ambiciones de Cortés era la de
   a. reconquistar la gloria que iba perdiendo.
   b. volver a visitar a España y presentar sus quejas ante el rey.
   c. reemplazar a Mendoza como virrey de la Nueva España.

9. Los esfuerzos de Cortés en el Pacífico resultaron en
   a. la conquista del Perú.
   b. una amistad entre Mendoza y Juan de Fuca.
   c. el descubrimiento de la Baja California.

10. Mendoza despachó expedición tras expedición al norte de México para
   a. explorar las tierras de California.
   b. vencer a Hernán Cortés, conquistador de México.
   c. hallar el Estrecho de Anián.

A ORILLAS DE CALIFORNIA

I. *Form questions to the following statements.*

1. Juan Rodríguez Cabrillo estaba al servicio del gobierno español. 2. Mendoza le entregó el cargo de una expedición importante. 3. El objeto de la expedición era el de descubrir el Estrecho de Anián. 4. Los barcos se llamaban San Salvador y Victoria. 5. Los dos barcos eran pequeños y estaban mal construidos. 6. Dos meses después de la salida se encontraba en regiones desconocidas. 7. Desembarcó para abrigarse de una tempestad el 28 de septiembre de 1542. 8. El lugar ahora se conoce por el nombre de San Diego. 9. Cabrillo no se detuvo

para verificar ningunos rumores. 10. Avanzó hacia el norte sin rumbo fijo. 11. Siempre se detenía para explorar nuevas tierras. 12. El viaje se hizo más peligroso con la entrada del otoño. 13. Siguió con la expedición aunque estaba gravemente herido. 14. La tempestad separó los barcos por tres días. 15. El barco Victoria era más pequeño que el San Salvador. 16. Cabrillo murió el 3 de enero de 1543. 17. Ferrelo se encargó de la expedición después de la muerte de Cabrillo. 18. La isla donde murió Cabrillo ahora se llama San Miguel. 19. El gobierno norteamericano construyó un monumento en honor de Cabrillo. 20. El monumento se encuentra en la cumbre de Point Loma.

II. *Combine the phrases in column* A *with the appropriate phrases in column* B *to form complete sentences.*

A	B
1. Juan Rodríguez Cabrillo era	*a.* bien pobladas y riquezas enormes.
2. Él hizo prometer a sus	*b.* con la entrada del otoño.
3. Esperaba descubrir tierras	*c.* hizo construir un monumento en honor de Cabrillo.
4. Dos meses después de la salida	*d.* los dos barcos se separaron.
5. El sitio que Cabrillo llamó San Miguel	*e.* portugués y estaba al servicio de España.
6. El viaje se hizo más difícil	*f.* ya se encontraba en tierras completamente desconocidas.
7. En una de las tempestades	*g.* compañeros que no abandonarían la expedición.
8. El gobierno norteamericano	*h.* ahora se conoce por el nombre de San Diego.

III. *Read the following sentences, replacing the dashes with one or more words to form logical sentences.*

1. Cabrillo era uno de los —— navegantes de su tiempo. 2. Hizo prometer a sus compañeros que seguirían ——. 3. Esto es todo —— se sabe del descubridor de la Alta California. 4. El objeto del viaje era —— tierras bien pobladas y riquezas enormes. 5. Dos meses después de la —— de Navidad, Cabrillo ya —— en regiones desconocidas. 6. Desembarcó para —— agua dulce y para —— los barcos. 7. Con la —— del otoño, el viaje se hizo más ——. 8. En una de las —— furiosas los dos

barcos se —— y no se —— sino hasta dos días más tarde. 9. El monumento a Cabrillo se encuentra en —— de Point Loma. 10. Es la tierra que vió desde —— al acercarse a —— de San Diego.

LA SIEMPRE FIEL CIUDAD DE SAN AGUSTÍN

1

I. *Answer these questions in Spanish, basing your answer on the story.*

1. ¿ Cómo se llama la primera ciudad de los Estados Unidos ? 2. ¿ Qué cosas caracterizan la fundación de esta ciudad ? 3. ¿ Cuál es una de las libertades de que gozan los norteamericanos ? 4. ¿ Puede Ud. nombrar algunos de los lugares históricos que se encuentran en San Agustín ? 5. ¿ En qué siglo tuvo lugar la fundación de San Agustín ? 6. ¿ Cómo se llama la península en la que España está situada ? 7. ¿ Puede Ud. nombrar el otro país que se encuentra en la misma península ? 8. ¿ Qué buscaban los españoles en la Florida ? 9. ¿ Cómo se llamaban los protestantes franceses ? 10. ¿ Quién era el jefe de los hugonotes en la Florida ? 11. ¿ A orillas de qué se encuentra San Agustín ? 12. ¿ Qué manda hacer Mendoza después de apoderarse de la colonia francesa ?

II. *Complete the Spanish sentences in column* B *according to the English sentences in column* A.

A	B
1. Spain became a powerful country.	1. España —— un país poderoso.
2. The city was reduced to ashes by the conqueror.	2. La ciudad fué reducida —— por el conquistador.
3. Here is the place where the first battles took place.	3. Aquí está el lugar donde —— las primeras ——.
4. The boat took us to the New World.	4. El buque —— al Nuevo Mundo.
5. St. Augustine is our oldest city.	5. San Agustín es nuestra ciudad ——.
6. Spain occupies the major part of the Iberian Peninsula.	6. España ocupa la —— parte de la ——.

7. The Spanish flotilla approached the French colony.	7. La flotilla española —— a la colonia francesa.
8. The drama is to take place on the banks of the St. John.	8. El drama —— tener lugar a orillas del Río San Juan.
9. What are you doing so far from your native land?	9. ¿Qué hacen Uds. —— de su tierra natal?
10. I am not addressing you but the general.	10. No —— a Ud. sino al general.
11. Menéndez began to construct the city.	11. Menéndez —— construir la ciudad.

III. *Give antonyms in Spanish for the following words.*

1. antigua. 2. primera. 3. ahora. 4. ciudad. 5. todo. 6. futuro. 7. pobre. 8. sur. 9. siempre. 10. grande. 11. terminar. 12. odio. 13. lejos. 14. aquí.

IV. *Combine the phrases in column* A *with the appropriate phrases in column* B *to form complete sentences.*

A	B
1. España está dispuesta a defender	*a.* condiciones muy difíciles.
2. En el siglo XVI España era	*b.* para arrojar a los franceses de la Florida.
3. Los protestantes de Francia decidieron	*c.* podrían vivir en paz y tranquilidad.
4. Establecieron una colonia bajo	*d.* la flotilla desde España hasta la Florida.
5. El Nuevo Mundo iba a ser el lugar donde todos	*e.* el país más poderoso del mundo.
6. El rey de España, Felipe II, despachó una flotilla	*f.* francesa a orillas del Río San Juan.
7. El general Pedro Menéndez condujo	*g.* su derecho por la fuerza de las armas.
8. Los españoles se apoderaron de la colonia	*h.* formar una colonia en la Florida.

2

I. *Answer these questions in Spanish. Base your answer on the story.*

1. ¿Qué sentimientos produjeron en Francia las noticias de las atrocidades cometidas en la Florida? 2. ¿Cómo se lla-

maba el hombre que tenía cuentas pendientes con España? 3. ¿Por cuántos años había sido prisionero de los españoles? 4. ¿Quiénes ayudaron a Gourgués a acercarse a la colonia española? 5. ¿Cómo llamaron los españoles a Fort Caroline? 6. ¿Qué gritaba Gourgués mientras atacaba la colonia española? 7. ¿Por qué hizo Gourgués matar a todos los españoles que cayeron en sus manos? 8. Después de apoderarse de la colonia española, ¿se quedó Gourgués en la Florida? 9. Camino a Francia, ¿con cuántos barcos españoles se encontró Gourgués? 10. ¿Qué hizo con los tripulantes de los barcos? 11. ¿De qué manera fué recibido Gourgués en Francia? 12. ¿En qué año sucedió la derrota de la Armada Española? 13. ¿En qué año cedió España la Florida a los Estados Unidos? 14. ¿En qué año atacó Sir Francis Drake a San Agustín? 15. ¿Qué honor guarda San Agustín? 16. ¿Qué parece la parte antigua de la ciudad?

II. *Match the expressions in column* A *with their English equivalents in column* B.

A	B
1. llegar a ser	*a.* to be changed into
2. librarse	*b.* to be in danger
3. acercarse a	*c.* no longer
4. dirigirse a	*d.* to take advantage of
5. por aquí	*e.* to resemble
6. correr peligro	*f.* unfinished business
7. ponerse a	*g.* to become
8. cuentas pendientes	*h.* nowadays
9. aprovecharse de	*i.* to approach
10. a voz en grito	*j.* around here
11. ya no	*k.* shouting
12. convertirse en	*l.* to take place
13. hoy día	*m.* to begin
14. parecerse a	*n.* to address

III. *Answer these personal questions in Spanish.*

1. ¿Ha estado Ud. jamás en San Agustín? 2. ¿En qué estado de los Estados Unidos se encuentra San Agustín? 3. ¿Le gustaría a Ud. visitar los lugares históricos de nuestro país? 4. ¿Puede Ud. nombrar algún sitio histórico cerca del lugar donde Ud. vive? 5. ¿Tienen lugar todavía en los Estados Uni-

dos luchas sangrientas a causa de controversias religiosas? 6. ¿Puede Ud. nombrar dos privilegios importantes de los cuales gozan los ciudadanos de los Estados Unidos? 7. ¿Existen todavía piratas que reducen las ciudades a cenizas en tiempos de paz?

EL CAMINO DEL PADRE

1

I. *Answer these questions in Spanish. Base your answer on the story.*

1. ¿Cómo se llama la escalera que se encuentra en el peñón de Ácoma? 2. ¿Con qué armas conquistó Juan Ramírez a los ácomas? 3. ¿En qué relatos se encuentran las primeras noticias de Ácoma? 4. ¿Cómo se llamaba el primer europeo que visitó a Ácoma? 5. ¿Cuántas veces se ganó a Ácoma por asalto? 6. ¿En dónde edificaron los indios sus aldeas para protegerse de sus vecinos guerreros? 7. ¿Cuál era la más poderosa fortaleza? 8. ¿Qué puede hacer un pequeño grupo situado en la cima del peñón? 9. ¿Cómo son los caminos que conducen a la cumbre del peñón? 10. ¿En qué año visitó Juan de Oñate a Ácoma? 11. ¿Qué le prometieron los principales? 12. ¿De qué se habían enterado los ácomas? 13. Al matar a Oñate, ¿qué esperaban lograr los ácomas? 14. ¿Con qué propósito se escondieron unos guerreros indios? 15. ¿Por qué no se atrevieron a matar a Oñate? 16. ¿Cuántos días más tarde llegó Juan de Zaldívar a Ácoma? 17. ¿Qué suerte le tocó a Zaldívar? 18. ¿Cómo atacaron los indios a los españoles? 19. ¿Qué hicieron cinco españoles para salvar su vida? 20. ¿Con quiénes se reunieron al pie del peñón?

II. *Read these sentences entirely in Spanish.*

1. El padre logró con amor *what* no se podía conseguir de otra manera. 2. Escogió un lugar elevado *where* hizo levantar un edificio. 3. Los españoles lograron vencer a los ácomas sólo *once*. 4. *Thanks to* sus esfuerzos los indios se convirtieron en gente de paz. 5. Construyeron una iglesia magnífica *at the cost of* mucha paciencia y mucho trabajo. 6. *Well then*, aquí está la historia como me la ha contado mi amigo. 7. Los indios *found out* que Oñate era uno de los españoles más importantes *of that*

place. 8. Los ácomas no se atrevieron a *wage war on* los españoles. 9. Las tribus indias se opusieron pero *one by one* fueron vencidas. 10. La fortaleza *for the time being* pasó a manos de los españoles. 11. Lucharon valientemente *to break through* pero no les fué posible. 12. Decidieron *either* luchar por su libertad *or* someterse a la autoridad española.

III. *Combine the phrases in column* A *with the appropriate phrases in column* B *to form complete sentences.*

A	B
1. Fué durante la expedición de Coronado	*a.* a entrar en un lugar obscuro que querían enseñarle.
2. Durante siglo y medio, Ácoma se ganó	*b.* que un mal paso puede ocasionar una muerte horrible.
3. Bajo la enseñanza del padre Ramírez	*c.* como lo habían hecho anteriormente con Oñate.
4. Ácoma está situada en un peñón	*d.* y subió la escalera que conducía a la « Población del Cielo ».
5. Los caminos son tan peligrosos	*e.* muchos aprendieron la doctrina cristiana.
6. Le invitaron a Oñate a subir para examinar	*f.* sólo una vez por la fuerza de las armas.
7. Oñate examinó las habitaciones extrañas pero se negó	*g.* resolvieron ponerse en camino de regreso.
8. Le invitaron a Zaldívar a visitar sus habitaciones	*h.* para abrirse camino, pero no les fué posible hacerlo.
9. Zaldívar se dejó engañar por los indios	*i.* cuando Alvarado hizo un viaje a Ácoma.
10. Los españoles lucharon con todas sus fuerzas	*j.* el pueblo y le mostraron mucha amistad.
11. Al fin de unos días los soldados	*k.* cuyos lados forman precipicios inaccesibles.

IV. *Read these sentences replacing the dashes with either* **por** *or* **para.**

1. La conquista de Ácoma no se consiguió —— la fuerza de las armas. 2. —— llegar a la cumbre hay que subir una escalera de piedra. 3. La escalera no fué construida —— los españoles sino —— los indios. 4. Los indios construyeron sus aldeas en lugares altos —— protegerse de las tribus guerreras. 5. Oñate dejó sólo unos soldados —— cuidar los caballos. 6. Lucharon

con todas sus fuerzas, pero uno —— uno iban cayendo. 7. —— muchos años los españoles hicieron todo lo posible —— vencer a los indios. 8. Salieron —— la mañana —— llegar a San Gabriel —— la tarde.

2

I. *Match the Spanish expressions in column* A *with their English equivalents in column* B.

A	B
1. No encontró lo que buscaba.	*a.* They fought valiantly, but one by one fell.
2. Regresó a la ciudad en donde había pasado muchos años.	*b.* Little by little the Indians became a peaceful people.
3. La fortaleza de Ácoma se ganó sólo una vez.	*c.* They were surprised upon finding out about the defeat of the Ácoma Indians.
4. Trataron de establecerse a costa de muchas dificultades.	*d.* They appeared at the rock and began to throw stones at the stranger.
5. Los indios no se atrevieron a dar batalla a los españoles.	*e.* For that reason the Indians wanted to have nothing to do with the Spaniards.
6. Por de pronto Ácoma pasó a manos de los españoles.	*f.* The few soldiers fought to break through, but didn't succeed.
7. Lucharon valientemente pero uno por uno iban cayendo.	*g.* For the time being, Ácoma passed into Spanish hands.
8. Los pocos soldados lucharon para abrirse camino pero no lograron hacerlo.	*h.* They tried to establish themselves at the cost of many difficulties.
9. Quedaron asombrados al enterarse de la derrota de los ácomas.	*i.* The Indians did not dare to wage war against the Spaniards.
10. Por eso los indios no querían tener nada que ver con los españoles.	*j.* He returned to the city where he had spent many years.
11. Se asomaron al peñón y empezaron a arrojarle piedras al forastero.	*k.* He didn't find what he was looking for.
12. Poco a poco los indios se convirtieron en gente de paz.	*l.* The fortress of Ácoma was only captured once.

II. *Find in column* B *the phrase that best explains the words in column* A.

A	B
1. el peñón de Ácoma	*a.* el hermano de Juan de Zaldívar que logró conquistar a Ácoma por asalto
2. Juan de Oñate	*b.* un padre católico que introdujo la fe cristiana a los ácomas
3. Vicente de Zaldívar	*c.* el que trató de apoderarse del peñón pero fué rechazado por los ácomas
4. Juan Ramírez	*d.* el primer europeo en visitar a los ácomas en su « Población del Cielo »
5. Juan de Zaldívar	*e.* el soldado que fué engañado por los ácomas y que murió a manos de estos indios
6. Hernando de Alvarado	*f.* una peña enorme en donde los ácomas hicieron construir su aldea
7. Francisco Vázquez de Coronado	*g.* uno de los más hábiles generales españoles durante el tiempo colonial español
8. Diego de Vargas	*h.* uno de los más grandes exploradores españoles

III. *Answer these questions in Spanish, basing your answer on the story.*

1. ¿ Qué podía precipitar la acción de los ácomas ? 2. ¿ Era la colonia de San Gabriel bastante fuerte para resistir el ataque de los indios ? 3. Para evitar una catástrofe, ¿ qué era necesario hacer ? 4. ¿ En qué lugar se reunieron todos los españoles a fines de diciembre ? 5. ¿ Hicieron los indios algún ataque ? 6. ¿ Por qué no se atrevió Oñate a atacar a los ácomas ? 7. ¿ Quién juró vengar la muerte de Zaldívar ? 8. ¿ Con cuántos soldados se dirigió Vicente de Zaldívar hacia Ácoma ? 9. ¿ De qué dependía la vida de la colonia española ? 10. ¿ Cómo lucharon Zaldívar y su pequeño grupo de soldados ? 11. ¿ Cuántos días duró la batalla ? 12. ¿ De qué manera fueron recibidos los soldados cuando volvieron a San Gabriel ? 13. ¿ Se atrevieron los indios desde entonces a molestar a Oñate ? 14. ¿ De qué convenció la

derrota a los ácomas? 15. ¿Por cuántos años fueron los ácomas enemigos de los españoles? 16. ¿En qué año se presentó el padre Ramírez al pie de Ácoma? 17. ¿Qué hicieron los ácomas cuando vieron a un forastero subir la escalera? 18. ¿Qué sucedió que cambió la conducta de los ácomas? 19. ¿Le permitieron los ácomas al padre permanecer entre ellos? 20. ¿De qué se aprovecharon los indios?

LA CAMPANA MÁS ANTIGUA DE LOS ESTADOS UNIDOS

I. *Form questions to these statements.*

1. La iglesia de San Miguel se encuentra en Santa Fe. 2. Juan de Oñate la hizo edificar. 3. La iglesia de San Miguel es la más antigua, en uso, de los Estados Unidos. 4. Juan de Oñate conquistó a Nuevo México. 5. Santa Fe tiene la campana más antigua de la América del Norte. 6. Los españoles lucharon contra los moros en 1356. 7. Los moros iban ganando terreno. 8. Los españoles juraron fundir una campana en honor de San José. 9. La campana contiene plata y oro además de los metales más comunes. 10. El melodioso repique simboliza la dulzura del sacrificio. 11. El toque de la campana proclamó la derrota de los moros. 12. Más tarde los padres llevaron la campana al Nuevo Mundo. 13. Esta misma campana ahora reposa en la iglesia de Santa Fe. 14. Las costumbres españolas se conservan hasta hoy en Santa Fe. 15. Durante el dominio español Santa Fe fué un centro comercial. 16. Ahora Santa Fe es un asilo para artistas y escritores.

II. *Complete the sentences by choosing the appropriate ending from* **a**, **b**, *or* **c**.

1. La iglesia de San Miguel está íntimamente relacionada con
   a. las batallas entre los moros y los españoles.
   b. el descubrimiento del Pacífico.
   c. la conquista de Nuevo México por los españoles.

2. Juan de Oñate, conquistador de Nuevo México, hizo
   a. edificar la primera escuela en Ácoma.
   b. matar a todos los franceses que cayeron en sus manos.
   c. construir la iglesia de San Miguel en Santa Fe.

3. Los españoles decidieron fundir una campana en honor de San José para
   a. poder echar todas sus joyas en el crisol.
   b. pedir la asistencia del buen santo en la lucha contra los moros.
   c. anunciar la hora de comer.

4. En 1356, durante la lucha de los españoles contra los moros
   a. los españoles perdían batalla tras batalla.
   b. los moros ocuparon la capital de Nuevo México.
   c. los españoles arrojaron a los franceses de la Florida.

5. La campana que proclamó la derrota de los moros
   a. más tarde proclamó el nacimiento de la fe cristiana en el Nuevo Mundo.
   b. ahora reposa en la Alhambra.
   c. se encuentra en la catedral de México.

6. Santa Fe retiene mucho del ambiente de la España antigua y se considera
   a. un centro ferrocarrilero de los Estados Unidos.
   b. un verdadero emporio comercial.
   c. la ciudad más española de los Estados Unidos.

7. Aun antes de la ocupación de Nuevo México por los Estados Unidos
   a. los norteamericanos ocuparon a Santa Fe.
   b. los yanquis habían logrado establecer relaciones comerciales con los españoles.
   c. hubo una línea ferrocarrilera entre la Ciudad de México y Santa Fe.

8. Con la llegada del ferrocarril Santa Fe perdió
   a. la mayoría de sus habitantes.
   b. el ambiente español por el cual todos la conocían.
   c. muchas de sus actividades comerciales.

III. *Replace the dashes with the appropriate word or words to form logical sentences.*

1. La iglesia de San Miguel es la iglesia más ——, en uso, de los ——. 2. Está situada en Santa Fe, —— de Nuevo México. 3. Ha —— abandonada varias ——. 4. Según la ——, San

Miguel —— la campana más —— de los Estados Unidos. 5. Santa Fe es la —— ciudad fundada por los —— en el sudoeste. 6. Retiene mucho del —— de la España antigua. 7. Durante el —— español Santa Fe fué un centro ——. 8. Los yanquis habían —— establecer relaciones comerciales con ——. 9. Las caravanas de la Ciudad de México seguían su —— hacia el norte. 10. Con la —— del ferrocarril, Santa Fe —— muchas de sus —— comerciales. 11. Debido a su ambiente de ——, Santa Fe —— a muchos artistas. 12. Es un —— para artistas y el centro —— el hombre ——.

EL MORRO

I. *Answer these questions in Spanish, basing your answer on the story.*

1. ¿ Son los monumentos de piedra cosas extrañas? 2. ¿ Dónde los encontramos? 3. ¿ Para qué los hacen construir los pueblos? 4. ¿ Qué estado posee uno de los monumentos más singulares del mundo? 5. ¿ Desde cuándo se encuentra allí? 6. ¿ Cómo se llama? 7. ¿ Cuántos pies de altura tiene este monumento? 8. ¿ En dónde pueden descansar los viajeros durante los días calurosos de verano? 9. ¿ Qué otras cosas se pueden encontrar en El Morro? 10. ¿ Por qué razón es El Morro tan extensamente conocido? 11. ¿ De qué cuenta El Morro? 12. ¿ De qué manera lo cuenta? 13. ¿ En qué tenemos que fijarnos para mejor entender el significado de este monumento? 14. ¿ Cuál es el único país qué trató de explorar la América del Norte a principios del siglo XVII? 15. ¿ En qué año encontramos a Juan de Oñate a la sombra de El Morro? 16. ¿ Quién era Juan de Oñate? 17. ¿ De qué manera conmemoró su estancia cerca de El Morro? 18. ¿ De qué otras personas se encuentran inscripciones en sus muros? 19. ¿ De qué sirve El Morro hoy día? 20. ¿ Qué ha hecho el gobierno para conservar las inscripciones?

II. *Read these sentences entirely in Spanish.*

1. El monumento se encuentra allí *for many centuries.* 2. *Not far from* allí se halla bastante agua y leña. 3. *In short,* es una obra para el beneficio del hombre. 4. Cuenta de exploraciones atrevidas y *at times* de aspiraciones frustradas. 5. Para

entender el significado de El Morro *we have to* estudiar la historia de la América del Norte. 6. Vamos *to pay attention* a la historia de América *at the beginning of the* siglo XVII. 7. Le encontramos descansando *in the shadow* del magnífico monumento. 8. *It occurs to him* conmemorar el suceso de manera gráfica. 9. Casi todas las expediciones *stop* en aquel lugar. 10. Las inscripciones son cortas pero *what heroic deeds they tell!*

III. *Choose the phrase from column* B *that best explains the words in column* A.

A	B
1. El Morro	*a.* la segunda ciudad fundada por los españoles en los Estados Unidos y la capital de Nuevo México
2. Nuevo México	*b.* uno de los más célebres conquistadores españoles, fundador de Santa Fe
3. Santa Fe	*c.* en tiempos pasados los navegantes aplicaron el nombre *Mar del Norte* al Atlántico
4. Mar del Sur	*d.* los navegantes de los tiempos pasados aplicaron el nombre *Mar del Sur* al Pacífico
5. Juan de Oñate	*e.* una peña cuyos muros poseen inscripciones históricas
6. Mar del Norte	*f.* un estado de los Estados Unidos situado en el sudoeste del país

EL ATAÚD DEL PADRE PADILLA

I. *Answer the questions in Spanish. Base your answer on the story.*

1. ¿Qué quiere decir « isleta » en español? 2. ¿Dónde se encuentra Isleta? 3. ¿Por qué se cree que una corriente subterránea pasa por aquel sitio? 4. ¿Cómo se llama la misión que los españoles hicieron construir en Isleta? 5. ¿En qué año fué construida? 6. ¿Qué tuvo lugar en 1680? 7. ¿Adónde se trasladaron los españoles durante la insurrección? 8. ¿En qué año volvieron los españoles a ocupar a Isleta? 9. ¿Cómo encontraron la misión? 10. ¿Quién está enterrado debajo del

piso de la iglesia? 11. ¿Dónde se quedó el padre cuando Coronado resolvió abandonar la expedición? 12. ¿Por qué lo mataron los indios de Quivira? 13. ¿Qué pasa con el ataúd del padre una vez al año? 14. ¿Qué hace el padre cuando el ataúd sube a la superficie de la tierra? 15. Después de dar un paseo, ¿qué hace el padre Padilla? 16. Según los indios, ¿cómo está el cuerpo del padre? 17. ¿Qué han heredado algunos de los indios?

II. *Combine the phrases in column* A *with the appropriate phrases in column* B *to form complete sentences.*

A	B
1. En el estado de Nuevo México se encuentran	*a.* construida la misión, pero ya existía en 1629.
2. Los españoles le dieron el nombre de Isleta,	*b.* se detenía en aquel lugar.
3. Isleta era una isla, pero debido al cambio del curso	*c.* cuando él intentó dejar la misión para irse a otra parte.
4. Cada expedición importante	*d.* nombre que conserva hasta hoy.
5. No se sabe en qué año fué	*e.* muchos lugares históricos.
6. Durante la insurrección de 1680, los españoles	*f.* del altar de la iglesia están enterrados los restos del padre Padilla.
7. Los indios creen que debajo	*g.* del Río Grande, se encuentra ahora en un lugar elevado en el centro del valle.
8. El padre Padilla era uno de los	*h.* abandonaron la misión y no volvieron a ocuparla sino hasta 1709.
9. Cuando Coronado decidió volver a México, el padre Padilla	*i.* que acompañaron a Coronado a Quivira.
10. Se dice que los indios mataron al padre	*j.* el ataúd del padre sube a la superficie de la tierra.
11. Una vez al año	*k.* por la aldea y vuelve a su sepulcro.
12. El padre sale del ataúd, da un paseo	*l.* se quedó entre los indios de Quivira.

III. *Choose the word that does not belong in the group.*

1. alma, religión, cruz, campana, teatro.
2. blusa, falda, pantalones, libro, medias.

3. acá, adelante, apenas, penoso, enfrente.
4. nadie, dondequiera, alguien, alguno, ninguno.
5. Carlota, Francisca, Isabel, Luisa, Pedro.
6. cobre, plata, oro, hierro, madera.
7. dar, decir, estar, ser, carácter.
8. agua, café, chocolate, leche, arroz.
9. país, ciudad, república, milagro, aldea.

SAN JOSÉ ANTE EL TRIBUNAL

I. *Answer in Spanish the following questions, basing your answer on the story.*

1. ¿ Cómo se llama el santo cuyo cuadro adorna la iglesia de Ácoma ? 2. ¿ Cuándo llegó allí el cuadro por primera vez ? 3. Según la leyenda, ¿ quién se lo trajo a los ácomas ? 4. ¿ Quién se lo regaló a ellos ? 5. ¿ Por qué creen los ácomas que el cuadro es la cosa más valiosa que tienen ? 6. ¿ Puede Ud. enumerar algunos de los milagros que el cuadro puede efectuar ? 7. ¿ Por dónde se hizo conocer la fama del cuadro ? 8. ¿ A qué atribuían los ácomas la buena salud y la tranquilidad de que gozaban ? 9. ¿ A qué distancia está Laguna de Ácoma ? 10. ¿ Cómo se llama la misión de Laguna ? 11. ¿ A qué atribuían los lagunas el hambre y las enfermedades de que sufrían ? 12. ¿ Qué pidieron prestado los lagunas a los ácomas ? 13. ¿ Consintieron los ácomas en prestar el cuadro a los lagunas ? 14. ¿ Por cuánto tiempo se lo prestaron ? 15. ¿ Qué decidieron hacer los lagunas ya que tenían el cuadro en su iglesia ? 16. ¿ En qué arreglo consintieron los dos pueblos para resolver quiénes iban a retener el cuadro ? 17. ¿ Cuánto tiempo quedó el cuadro en Ácoma después de haber sido devuelto por los lagunas ? 18. ¿ De qué manera evitó el padre López una guerra entre los dos grupos ? 19. ¿ Cuántos años permaneció el cuadro en la iglesia de Laguna ? 20. Según la decisión del tribunal, ¿ en qué iglesia debe reposar el retrato del santo ? 21. ¿ Dónde encontraron los ácomas el retrato ? 22. ¿ Cómo llegó hasta allí el retrato según los ácomas ?

II. *Replace the dashes with the appropriate word or words to form logical sentences.*

1. Los ácomas —— que el retrato es la cosa —— que poseen. 2. El cuadro —— celos en el —— de todos los indios.

3. La disputa —— cincuenta —— y al fin fué decidida ante un ——. 4. En tiempo —— siempre —— al santo. 5. Eran —— continuamente por las —— guerreras que los rodeaban. 6. Un pequeño grupo se —— en Ácoma para pedir —— la imagen. 7. Las tribus vecinas —— molestarlos. 8. Decidieron no —— el retrato sino —— en su iglesia. 9. El retrato no iba —— allí mucho tiempo. 10. Al fin —— llevar el asunto ante un ——. 11. Los ácomas se —— hacia Laguna para recobrar el cuadro. 12. Los indios creen que el santo, al oír la decisión del ——, se —— en camino hacia Ácoma.

III. *Rearrange the following words so as to form complete sentences.*

1. retenerlo, para, posible, lo, hacer, todo, están, a, dispuestos.
2. los, enemigos, a, enfermos, y, cura, los, vence, a.
3. cuadro, de, celos, los, el, inspiró, el, corazón, en, indios.
4. fué, años, la, cincuenta, disputa, después, decidida, de.
5. lagunas, retrato, prestado, el, pidieron, los.
6. en, solamente, mes, consintieron, por, un, prestárselo.
7. retenerlo, bajo, lograron, u, otro, un, pretexto.
8. esperándolos, debajo, un, estaba, el, árbol, de, cuadro.
9. hasta, cómo, nunca, llegó, el, revelaron, retrato, allí.

EL CONSPIRADOR POR EXCELENCIA

I. *Complete each sentence with the proper word or words taken from the following list:*

insurrección	justicia	tribu	aumenta
brujería	antepasados	confianza	rechazar
inspirador	lejanas	sobrenaturales	pertenece
encabezada	prácticas	sagrado	extraordinarias

1. Los indios vinieron a pedir —— al gobernador. 2. La —— se anticipó diez y ocho días a la fecha para la cual había sido fijada. 3. Los indios fueron acusados de —— y llevados ante el tribunal. 4. El —— de este hecho histórico fué Popé, curandero indio. 5. La delegación india, —— por Popé, se presentó ante Juan de Otermín. 6. Los principales se reunieron en el lugar más —— de Taos. 7. Popé les hizo creer a los indios que tenía comunicación con los poderes ——. 8. Todo este vasto territorio ya no —— a los indios. 9. Popé logró —— la autoridad

española en Nuevo México. 10. El sufrimiento —— cada día. 11. El curandero indio poseía prendas —— y ganó la —— de las varias tribus indias. 12. Cada uno tiene el derecho de seguir las creencias de sus ——. 13. Los españoles vinieron de tierras —— y no conocían las costumbres indias. 14. Cada —— india retiene sus propias —— religiosas. 15. La —— de los indios de Nuevo México no se llevó a cabo de repente.

II. *Read these sentences entirely in Spanish.*

1. Popé pidió justicia *in behalf of* todas las tribus indias. 2. Los españoles no conocían *the habits* de los indios. 3. *Suffice it to say* que Juan de Otermín no escuchó los ruegos de Popé. 4. ¿ *Until when* van ustedes a quedarse en este lugar? 5. Los indios llamaron a los padres católicos « *grey robes and long beards* ». 6. El curandero *left nothing undone* para llevar a cabo su obra. 7. *It's incredible;* en unos pocos días logró avisar a todos del cambio. 8. La restauración del poder español *put an end to* el poder de Popé. 9. La insurrección *took place* en el año 1680.

III. *These statements are wrong according to the story. Reread them, making the corrections where necessary.*

1. La insurrección se llevó a cabo de una vez. 2. Los españoles sospechaban que los indios preparaban una insurrección. 3. Cincuenta españoles fueron acusados de brujería. 4. Fueron llevados ante el tribunal de la ciudad de Taos. 5. El curandero indio se llamaba Juan de Otermín. 6. Popé pidió la ejecución de los acusados. 7. No había lugar en las tierras de Nuevo México para acomodar a los españoles y a los indios también. 8. Era fácil organizar a los indios que siempre habían actuado de acuerdo. 9. Popé andaba de pueblo en pueblo para avisar a los españoles de la insurrección. 10. Popé pidió la ayuda de Otermín para rechazar el poder español. 11. Al mediodía todos los principales de las varias tribus se reunieron en la plaza. 12. En la claridad del día las dos figuras parecían hombres de fuego. 13. Popé se aprovechó de su conocimiento para atacar a los reunidos. 14. Popé era un hombre justo y nunca anhelaba el poder. 15. Cuando los españoles empezaron la reconquista, encontraron mucha resistencia. 16. La reconquista se verificó bajo la dirección de Otermín. 17. Popé fué ejecutado por los españoles.

LA CÚPULA DE SAN XAVIER DEL BAC

I. *Combine the phrases in column* A *with the appropriate phrases in column* B *to form complete sentences.*

A	B
1. Cerca de Tucsón, en Arizona	*a.* imitación de las antiguas catedrales.
2. Su historia es interesantísima y está	*b.* cayó y nunca fué reedificada.
3. La antigua misión fué	*c.* la belleza de esta obra maestra.
4. Durante la vida del venerable padre	*d.* podemos notar que una torre no tiene cúpula.
5. Cuando los españoles volvieron a ocuparla,	*e.* la encontraron completamente destruida.
6. Si nos fijamos en la misión	*f.* construida bajo la dirección del padre Kino.
7. La torre incompleta desfigura	*g.* la misión gozaba de paz y de prosperidad.
8. Se cree que una de las torres	*h.* relacionada con la conquista de Arizona.
9. Dejaron la torre incompleta en	*i.* se encuentra la misión de San Xavier del Bac.
10. Durante la construcción un	*j.* en recuerdo de aquel sacrificio.
11. Los padres dejaron la torre incompleta como	*k.* padre cayó de la torre al suelo.
12. La cúpula nunca fué edificada	*l.* monumento al infeliz que perdió la vida.

II. *Answer these questions in Spanish. Base your answer on the story.*

1. ¿En qué estado de los Estados Unidos se encuentra Tucsón? 2. ¿Cómo se llama la misión que se encuentra cerca de esa ciudad? 3. ¿En qué año fué edificada? 4. ¿Quién la hizo edificar? 5. ¿Bajo qué nombre era conocida? ¿Por qué? 6. Después de la expulsión de los jesuítas de España, ¿quiénes se encargaron de las misiones en el Nuevo Mundo? 7. ¿En qué año fué destruida la misión? 8. ¿De qué está rodeada la misión ahora? 9. ¿Qué pasó al jardín? 10. ¿Hasta qué año quedó abandonada San Xavier después de la independencia de México? 11. ¿Qué se puede notar al fijarse en la misión? 12. ¿Cuántas

torres tiene la misión? 13. ¿Cuántas cúpulas tiene la misión? 14. ¿Por qué decidieron los padres dejar la torre incompleta?

III. *Read the sentences replacing the dashes with the appropriate word or words to form complete sentences.*

1. Es la más —— misión de la América del Norte. 2. Está relacionada con la —— de Arizona por los españoles. 3. La —— misión fué —— bajo la dirección del padre Eusebio Kino. 4. Se llamaba —— porque estaba rodeada de muchos árboles frutales. 5. Después de la expulsión de los ——, los —— se encargaron de las misiones. 6. La misión fué —— varias veces. 7. En 1768 la misión fué completamente ——. 8. Hicieron construir otra, la que —— existe. 9. El edificio fué —— en 1797. 10. El jardín ha —— y la iglesia se encuentra en el centro del ——. 11. El edificio no fué —— y hoy día sirve de —— de los tiempos pasados. 12. Una de las cúpulas se —— y nunca fué ——. 13. No existe —— prueba en favor de estas ——. 14. La caída —— la muerte al padre.

EL ORIGEN DEL RÍO SAN ANTONIO

I. *Form questions to these statements.*

1. El padre Margil ocupa un lugar prominente en las leyendas de Texas. 2. Se le atribuye a él el origen del Río San Antonio. 3. Tomó parte en la expedición a principios del siglo XVIII. 4. Gracias a sus esfuerzos se construyeron varias misiones en Texas. 5. Cabeza de Vaca fué el primero en pasar por aquel lugar. 6. Las Siete Ciudades de Cíbola se encuentran en Nuevo México. 7. Coronado pasó por aquel sitio en 1540. 8. Ninguna expedición se detuvo allí para colonizar aquel territorio. 9. Los franceses hicieron un esfuerzo para colonizar a Texas. 10. El gobierno español decidió arrojar de allí a los franceses. 11. La colonia más importante fué la de San Antonio. 12. La misión de San Antonio de Valera es mejor conocida como El Álamo. 13. El Álamo fué la cuna de la libertad de los texanos en su lucha contra los mexicanos. 14. Entonces no había todavía río alguno. 15. Los viajeros tenían mucha sed. 16. Se detuvieron debajo de un árbol y se pusieron a rezar. 17. Él se había fijado en un árbol en cuya copa había uvas. 18. Para alcanzarlas subió al árbol. 19. Se agarró al tronco para evitar caer al suelo.

20. Arrancó el árbol de la tierra. 21. En aquel lugar empezó a brotar una fuente de agua dulce.

II. *Choose the phrase in column* B *that best describes the word or words in column* A.

A	B
1. Texas	*a.* el primer europeo en pasar por el continente americano
2. Antonio Margil	*b.* una de las más conocidas leyendas que se contaban era la de las ciudades que debían contener riquezas enormes
3. Cabeza de Vaca	*c.* el estado más grande de los Estados Unidos situado en la frontera de la República Mexicana
4. las Siete Ciudades de Cíbola	*d.* llamada por los españoles *invencible*, la que fué vencida por los ingleses en 1588
5. el Canadá	*e.* la misión de San Antonio de Valera, conocida como la cuna de la libertad de Texas
6. la Armada Española	*f.* un dominio inglés que antes pertenecía a Francia; situado al norte de los Estados Unidos
7. El Álamo	*g.* un padre católico que tomó parte activa en la expedición a Texas a principios del siglo XVIII

III. *Complete the sentences by choosing the appropriate word or words from the following list:*

tocar	esfuerzos	lucha	corriente
ayuda	convertir	entonces	equilibrio
fantásticos	logrado	alcanzar	evitar

1. Para —— caer al suelo, se agarró al tronco del árbol. 2. Con la —— de los indios, los españoles arrojaron a los franceses. 3. Perdió el —— en lo alto de la torre. 4. Los texanos ganaron la batalla en la —— por su libertad. 5. Los franceses no habían —— vencer a los españoles. 6. Los padres católicos

trataron de —— a los indios a la fe cristiana. 7. El Río Grande es una —— de agua que separa a México de los Estados Unidos. 8. Gracias a los —— de los primeros colonos la tierra abunda en árboles. 9. Subió al árbol para —— las uvas. 10. No había —— ninguna colonia española en Texas. 11. Se contaban cuentos —— de tierras ricas más al norte. 12. Las campanas se pusieron a —— para anunciar la victoria del ejército.

LAS CAMPANAS DE SAN JOSÉ DE AGUAYO

I. *Answer these questions in Spanish. Base your answer on the story.*

1. ¿ Cuál era la más hermosa misión al este del Río Grande ? 2. ¿ Qué se divisaba desde muchas millas ? 3. ¿ A qué distancia se encontraba de San Antonio ? 4. ¿ En qué año empezaron a construir la iglesia ? 5. ¿ En honor de quién se nombró la misión ? 6. ¿ Dónde fueron fundidas las campanas de esta misión ? 7. ¿ A qué se debe el sonido agradable de estas campanas ? 8. ¿ De qué manera celebraba la gente de España la fundición de campanas destinadas al Nuevo Mundo ? 9. ¿ Cómo se llamaba la doncella cuyo prometido estaba en Texas ? 10. ¿ Cómo se llamaba el prometido ? 11. ¿ Por qué se fué don Luis a Texas ? 12. ¿ Qué prometió cumplir al despedirse de su novia ? 13. ¿ Qué noticias llegaron de Texas cuando estaban para fundir las campanas ? 14. ¿ Dónde había sido sepultado don Luis ? 15. ¿ Cómo se quedaron todos los reunidos ? 16. ¿ Qué hizo doña Teresa después de unos momentos de angustia ? 17. ¿ Qué hicieron los demás reunidos ? 18. ¿ Qué mensaje llevan las campanas de doña Teresa a don Luis ?

II. *Select the most appropriate phrase from* **a**, **b**, *or* **c** *to complete the sentences.*

1. La misión de San José de Aguayo
   - *a.* está situada en California.
   - *b.* era la más hermosa.
   - *c.* tiene las campanas más antiguas del continente americano.

2. Empezaron a construir la iglesia en 1718 pero no
   - *a.* fué terminada sino hasta cincuenta años más tarde.
   - *b.* lograron terminarla nunca.
   - *c.* pudieron hallar un sitio propio para la misión.

3. Todas las campanas de las misiones del Nuevo Mundo
   a. fueron fundidas en España.
   b. contenían oro y plata además de otros metales.
   c. se pusieron a tocar sin la ayuda de nadie.

4. Cuando estaban por fundir unas campanas destinadas a alguna misión
   a. la gente celebraba el hecho con una fiesta.
   b. todos los reunidos se quitaban sus joyas.
   c. todos se quedaban en casa.

5. El prometido de la doncella Teresa, don Luis, se fué a Texas
   a. para construir la misión de San José.
   b. para convertir a los indios a la fe cristiana.
   c. en busca de aventuras, prometiendo volver para casarse con doña Teresa.

6. Al oír las noticias que acababan de llegar de Texas
   a. los reunidos decidieron hacer un viaje al Nuevo Mundo.
   b. todos los reunidos quedaron pasmados.
   c. la doncella Teresa se puso a bailar.

7. Los reunidos echaron sus cadenas, sus anillos y sus otras joyas en el crisol
   a. porque no había bastante metal para fundir las campanas.
   b. de acuerdo con las costumbres españolas de aquel entonces.
   c. para mostrar su cariño hacia la doncella Teresa.

8. La mezcla de los metales preciosos con los otros metales produjo
   a. el sonido agradable por el cual se conocen las campanas de San José.
   b. las campanas más grandes del continente americano.
   c. la cúpula dorada que se divisaba por muchas millas.

III. *Replace the dashes with the appropriate word or words to form complete sentences.*

1. La misión de San José de Aguayo —— en Texas. 2. Está situada —— del Río Grande. 3. Sirve de monumento de los —— gloriosos. 4. Más tarde —— el nombre por el cual se

conoce hasta hoy. 5. La leyenda de las campanas es una de las más ——. 6. Las campanas fueron —— en España. 7. La —— siempre se celebraba con una ——. 8. A esta fiesta también asistió la —— Teresa. 9. Don Luis era el —— de doña Teresa. 10. Ella —— todas sus joyas en el ——.

LA HISTORIA DE UN AMOR FRACASADO

I. *Choose from column* B *the phrase that best describes the word or words in column* A.

A	B
1. Huícar	*a.* el nombre aplicado a los siglos XVI y XVII debido al gran número de pintores, poetas, dramaturgos y escritores que vivían en España en aquella época
2. la Alhambra	*b.* un escultor que se encargó de los adornos de la misión de San José de Aguayo
3. Murillo	*c.* uno de los dramaturgos más conocidos; *La Vida es Sueño* se considera su obra maestra
4. Lope de Vega	*d.* uno de los más famosos pintores españoles del Siglo de Oro; *Las Meninas* y *Los Borrachos* son dos de sus obras más conocidas
5. Cervantes	*e.* el palacio de los reyes moros en Granada; uno de los más famosos palacios del mundo
6. Siglo de Oro	*f.* uno de los más grandes dramaturgos de España; *El Mejor Alcalde el Rey* es uno de sus dramas más conocidos
7. Velázquez	*g.* el más famoso de los escritores españoles; *Don Quijote de la Mancha* es su obra maestra
8. Calderón de la Barca	*h.* uno de los más famosos pintores españoles; *Los Niños de la Concha* es uno de sus cuadros más conocidos

II. *Form questions to these statements.*

1. Huícar era uno de los más hábiles escultores de su tiempo. 2. Él hizo la ornamentación de San José de Aguayo. 3. Sólo trozos de estos adornos le quedan hoy día. 4. Poco se sabe de la vida de este artista. 5. Era descendiente de una familia morisca. 6. Sus antepasados construyeron la Alhambra de Granada. 7. Huícar se decidió a buscar fortuna en el Nuevo Mundo. 8. Su novia se casó con otro durante su ausencia. 9. Resolvió dedicar el resto de su vida a la Iglesia. 10. Se encargó de ornamentar la misión de San José que estaba en construcción. 11. La fachada y la ventana son las cosas más artísticas que produjo. 12. Trabajó por veinte años para terminar su obra maestra. 13. Trató de expresar de manera artística las angustias del amor frustrado. 14. Los restos de Huícar descansan a la sombra de San José.

III. *Answer these personal questions in Spanish.*

1. ¿Le gusta a usted la escultura? 2. ¿Ha visto usted jamás una obra por un escultor famoso? 3. ¿Puede usted nombrar otras artes que pertenecen a la familia de las bellas artes? 4. ¿Cuál de las artes le gusta más a usted? 5. ¿Hay un museo de artes en la ciudad donde usted vive? 6. ¿Qué sabe usted del Museo del Prado? 7. ¿Dónde se encuentra el *Metropolitan Museum of Fine Arts*? 8. ¿Puede usted nombrar algunos pintores famosos españoles? 9. ¿Quién es Diego Rivera? 10. ¿Puede usted distinguir los varios estilos de arquitectura?

EL CABALLERO DE LA CRUZ

1

I. *Answer these questions in Spanish, basing your answer on the story.*

1. ¿Dónde nació Miguel José Serra? 2. ¿En qué año nació? 3. ¿Qué nombre adoptó cuando se hizo sacerdote? 4. ¿Con qué soñaba desde su temprana juventud? 5. ¿Cuándo se realizaron sus sueños? 6. ¿Dónde se encontraba a mediados del siglo XVIII? 7. ¿Cuál era la obra de sus deseos? 8. ¿Sabía entonces que iba a estar relacionado con el desarrollo de California? 9. ¿Cómo se conocía la Alta California entonces? 10. ¿Cuándo se descubrió la Alta California? 11. ¿De dónde

salió Vizcaíno? 12. ¿Qué nombre dió al puerto de San Miguel? 13. ¿Logró Vizcaíno descubrir la Puerta de Oro? 14. ¿Por qué necesitaba España buenos puertos al norte de México? 15. ¿Qué resultado tuvo la exploración de Vizcaíno? 16. ¿Cuántos años transcurrieron desde la exploración de Vizcaíno hasta la colonización de la Alta California? 17. ¿Qué país amenazaba las colonias españolas en la costa del Pacífico? 18. ¿Cómo se llama el estrecho que se encuentra entre Siberia y Alaska? 19. ¿A quién fué encomendada la tarea de colonizar la Alta California? 20. ¿Qué debía hacer Gálvez?

II. *These statements are incorrect. Form statements that are correct.*

1. Los asuntos civiles y militares fueron encomendados a Vizcaíno. 2. Los franciscanos fueron arrojados de la Baja California y los dominicanos se encargaron de las misiones. 3. Al padre Serra le nombraron presidente de la República Mexicana. 4. Al padre Serra se debe en gran parte la formación de una colonia rusa en Alaska. 5. Vitus Bering era un navegante ruso al servicio del gobierno español. 6. Miguel José Serra nació en Madrid. 7. Vizcaíno descubrió la Puerta de Oro. 8. Acapulco es una ciudad mexicana situada en el Golfo de México. 9. La Alta California se conocía por los relatos de Hernán Cortés. 10. A mediados del siglo XVIII los rusos se apoderaron de San Francisco. 11. El padre Serra soñaba con aventuras y riquezas. 12. España decidió colonizar a California para evitar a los franceses apoderarse de ella.

III. *Complete the sentences by replacing the dashes with the word or words chosen from the following list:*

figurar	sin embargo	permitían	presidios
soñaba	paradas	extranjero	de oídas
nació	piratas	amenazaban	se le atribuye
a mediados			

1. California se conocía sólo —— y por los relatos de Vizcaíno. 2. Gálvez debía hacer edificar misiones, construir —— y fundar pueblos. 3. A Sebastián Vizcaíno —— haber hecho mapas exactos de California. 4. Los rusos —— las colonias españolas en el Pacífico. 5. Miguel José Serra —— en Mallorca. 6. España empezó a colonizar a California —— del siglo XVIII.

7. El padre Serra no sabía que iba a —— entre los grandes colonizadores. 8. Desde su niñez —— con irse al Nuevo Mundo. 9. —— sus sueños no se realizaron sino hasta mucho más tarde. 10. Las dificultades domésticas no —— nuevas empresas en el Nuevo Mundo. 11. Se necesitaban buenos puertos para proteger los barcos de los —— ingleses. 12. El nuevo poder —— era Rusia. 13. Se dirigió hacia el norte, haciendo varias —— para obtener informes.

2

I. *Answer these questions in Spanish.*

1. ¿Cómo se llama el lugar donde el padre Serra iba a edificar la primera misión? 2. ¿Tenía él en cuenta las dificultades que iba a encontrar en California? 3. ¿A qué tarea iba el padre Serra a dedicar su vida? 4. ¿Cuándo llegó a San Diego? 5. ¿En cuántos días tuvo todo arreglado para empezar su obra maestra? 6. ¿En qué consistía la primera misión? 7. ¿En qué fecha cantó el padre Serra la primera misa? 8. ¿De qué manera imploró él la ayuda de Dios en esta empresa? 9. ¿Querían los indios de San Diego tener algo que ver con la misión? 10. ¿Qué pasó con el barco que iba a traer provisiones a San Diego? 11. ¿Cómo se llama el barco que trajo provisiones a San Diego? 12. ¿Cómo se llama aquel episodio? 13. ¿Qué resultado tuvo la llegada del *San Antonio* a San Diego? 14. ¿Cuántas misiones fueron edificadas desde 1769 hasta 1784? 15. ¿Qué hicieron los padres católicos además de convertir a los indios a la fe cristiana? 16. ¿Tenía el padre Serra razón en sentirse feliz al contemplar su obra? 17. ¿Qué deseaba hacer antes de morir? 18. ¿En qué estado de salud estaba el padre Serra al volver a la misión de San Carlos de Carmelo? 19. ¿Quién llegó a San Carlos de Carmelo antes de la muerte del padre Serra? 20. ¿En qué año murió el fundador de las misiones?

II. *Read these sentences entirely in Spanish.*

1. Hizo el viaje a pie *in spite of* su delicada salud. 2. ¿*What mattered* las dificultades que abundaban en tierras lejanas? 3. Su obra *consisted of* convertir y enseñar a los indios. 4. Los españoles *did not dare* dar batalla a tantos guerreros. 5. Los habitantes *wanted to have nothing to do* con los recién venidos. 6. *He stayed a little while* en Santa Bárbara antes de seguir adelante. 7. Todos

estaban *in agreement with* Portolá menos el capitán. 8. Las misiones de California son *the masterpiece* del padre Serra. 9. El barco *not only* trajo provisiones *but* levantó los ánimos de los colonos. 10. Las misiones se extendían *along* la costa del Pacífico. 11. Por muchos años trabajaba *without stopping* y ahora ya quería retirarse.

III. *Combine the phrases in column* A *with the appropriate phrases in column* B *to form complete sentences.*

A	B
1. Desde luego hizo preparativos	*a.* el padre Serra tenía razón en sentirse feliz.
2. Por falta de comunicaciones adecuadas por tierra	*b.* también el principio de todas las misiones de California.
3. Con las manos extendidas hacia el cielo	*c.* retirarse pronto de la vida.
4. A no ser por la llegada del barco	*d.* en que iba a venir a verlos.
5. Este suceso fué lo que decidió no sólo el éxito de esta misión sino	*e.* para irse a la Alta California.
6. Además de convertir a los indios a la fe cristiana	*f.* el padre Serra imploró la ayuda de Dios en esta nueva empresa.
7. Desde allí se puso en camino a pie para	*g.* se decidió a hacer el viaje por mar.
8. Despachó cartas a todos sus colegas avisándoles el día	*h.* también les enseñaron varios oficios útiles.
9. Al contemplar su obra maestra	*i.* la misión habría sido abandonada.
10. Se dió cuenta de que iba a	*j.* visitar todas las misiones de California.

LA PUERTA DE ORO

I. *Answer these questions in Spanish. Base your answer on the story.*

1. ¿En qué se había fijado el padre Serra al examinar los planes de Gálvez? 2. ¿Qué le preguntó a Gálvez? 3. ¿Qué descubrió uno de los compañeros de Portolá? 4. ¿Qué le con-

testó Gálvez al padre Serra? 5. ¿Qué exclamó el padre Crespi al ver el mejor puerto del Pacífico? 6. ¿Cuántos años pasaron desde el descubrimiento del puerto y la edificación de la misión de San Francisco? 7. ¿Cómo es la historia del puerto y la ciudad de San Francisco? 8. ¿Qué leyendas se contaban? 9. ¿De qué carecía la tierra en las cercanías de San Francisco según una leyenda india? 10. ¿De qué estaba cubierta toda la región? 11. ¿Dónde vivía el coyote? 12. ¿Quién vino a vivir con él? 13. ¿Qué decidieron hacer el águila y el coyote? 14. Con el aumento de los indios, ¿qué le pasó al agua? 15. ¿Qué derribó las montañas transformando la región en una bahía?

II. *Combine the phrases in column* A *with the appropriate phrases in column* B *to form complete sentences.*

A	B
1. La misión no fué construida sino	*a.* tiempo desapareció por completo.
2. De Anza condujo los primeros colonos	*b.* volvió a molestar al espíritu bueno.
3. El coyote vivía en la cima de	*c.* la región en una bahía.
4. De acuerdo con una leyenda,	*d.* nuevas empresas tan lejos de la Nueva España.
5. La distancia por mar no permitía	*e.* hasta seis años más tarde.
6. Era necesario encontrar una ruta por tierra para poder	*f.* los únicos habitantes eran dos espíritus.
7. El agua iba disminuyendo y con el	*g.* de Sonora a San Francisco.
8. Un fuerte temblor derribó las montañas transformando	*h.* colonizar aquella región.
9. La tierra carecía de seres humanos;	*i.* la bahía de San Francisco se formó recientemente.
10. El espíritu malo fué vencido y nunca	*j.* una montaña y llevaba una vida solitaria.

III. *Complete the sentences by replacing the dashes with the most appropriate word or words taken from the following list:*

adecuada	ganado	hizo caso	verdadero
escogido	confiaban	nació	llevar a cabo
condujo	nacimientos	venturosas	colonos
atravesar	género	requería	víveres

1. Portolá no —— mucho —— del descubrimiento. 2. Reconoció el esfuerzo que —— la colonización de San Francisco. 3. Sería necesario traer —— y —— desde México. 4. Se necesitaba gente de visión para —— el plan de colonización. 5. El —— colonizador de San Francisco se llamaba Juan Bautista de Anza. 6. Bautista de Anza —— en Tubac en la frontera de Arizona. 7. Era capaz de ejecutar las tareas que se le ——. 8. Fué el primero en —— las Sierras y estableció una ruta —— de Sonora a California. 9. Más tarde —— los primeros colonos a California. 10. Fué ésta una de las más —— expediciones de su —— en la América del Norte. 11. En el camino hubo tres ——. 12. Llevaron animales domésticos para desarrollar la crianza de —— en la nueva tierra. 13. Después de haber —— un lugar propio para el presidio, Bautista de Anza volvió a Sonora.

UN EPISODIO RUSO

I. *Form questions to these statements.*

1. Los rusos vinieron a California de Alaska. 2. El objeto de establecer una colonia en California era puramente comercial. 3. Al fin lograron establecer relaciones comerciales con los españoles. 4. Desde su colonia en Fort Ross podían enviar provisiones a Alaska. 5. Ocuparon su colonia de California por veinte y ocho años. 6. No dejaron sino dos edificios de madera. 7. El conde Nikolái Petróvich Rezánof era el jefe de la Compañía Ruso-Americana. 8. La expedición de Rezánof a San Francisco fué la que dió por resultado la colonia rusa. 9. Los españoles tenían sospechas de los rusos y se negaban a venderles provisiones. 10. Gracias a Concepción de Argüello, Rezánof logró comprar provisiones a los españoles. 11. Rezánof fué alojado en la casa de los Argüello. 12. Rezánof se enamoró de Concepción y ella se enamoró de él. 13. Para celebrar las bodas era necesario obtener el permiso de la Iglesia. 14. Rezánof se despidió de Concepción prometiendo volver lo más pronto posible. 15. En vez de casarse, Concepción ingresó en la orden dominicana. 16. Re-

zánof murió a causa de una herida que recibió cuando cayó de su caballo.

II. *Choose from column* B *the phrase that best explains the names in column* A.

A	B
1. Concepción de Argüello	*a.* viajero inglés que trajo la noticia de la muerte de Rezánof
2. Nikolái Rezánof	*b.* territorio en la América del Norte que antes pertenecía a Rusia
3. Benicia	*c.* sitio de la colonia rusa de California
4. Sir George Simpson	*d.* comandante del puerto de San Francisco en 1806
5. Alaska	*e.* jefe de la Compañía Ruso-Americana; se enamoró de Concepción de Argüello
6. Siberia	*f.* hija del comandante del puerto de San Francisco, la que se enamoró de Rezánof
7. José de Argüello	*g.* situada al norte de San Francisco donde Concepción pasó el resto de su vida
8. Fort Ross	*h.* territorio de Asia que pertenece a Rusia

III. *Complete these sentences by choosing the most appropriate ending from* **a**, **b**, *or* **c**.

1. Los rusos no dejaron nada permanente sino
   - *a.* un cuento de un amor trágico.
   - *b.* un pueblo bien poblado.
   - **c.** una historia de la formación de la bahía de San Francisco.

2. Concepción de Argüello entendió todo lo que Rezánof le contaba
   - *a.* porque ella hablaba ruso.
   - *b.* porque él hablaba español.
   - *c.* aunque no sabía casi nada de ruso.

3. En la colonia de Fort Ross los rusos se dedicaban a
   a. convertir a los indios a la fe cristiana.
   b. enseñar el ruso a los españoles.
   c. la agricultura y a la crianza de ganado.

4. Desembarcaron en San Francisco para
   a. establecer relaciones comerciales con los españoles.
   b. apoderarse del puerto.
   c. presenciar la boda de los dos enamorados.

5. No se preocupaban de extender el reino ruso fuera
   a. del Golfo de México.
   b. de los límites del Puerto de San Francisco.
   c. de la Málaya Rosía (Pequeña Rusia), en las cercanías de Fort Ross.

6. Los españoles tenían sospechas de los rusos y
   a. les dieron todo lo que pedían.
   b. los arrojaron del país.
   c. se negaron a venderles provisiones.

7. Nikolái Petróvich Rezánof, jefe de la Compañía Ruso-Americana, era
   a. cruel e injusto y siempre anhelaba más poder.
   b. un cumplido caballero, favorecido de la Corte imperial rusa.
   c. el esposo de Concepción con quien se casó en California.

8. Otros pretendientes pedían la mano de Concepción pero ella
   a. no quería casarse con ninguno de ellos.
   b. se decidió a seguir a Rezánof y se fué a Rusia.
   c. resolvió no abandonar la casa de sus padres hasta su muerte.

ALLÁ EN EL RANCHO GRANDE

I. *Answer these questions in Spanish. Base your answer on the story.*

1. ¿Qué era necesario para asegurar el dominio español en California? 2. ¿Qué hizo construir el gobierno en las partes

más importantes? 3. ¿Cómo se llamaban los tres órganos de colonización del gobierno español? 4. ¿Cuántos presidios se establecieron en California durante el dominio español? 5. ¿Cómo se llamaba el cuerpo legislativo de los pueblos? 6. ¿Cómo se llamaba el jefe del cuerpo legislativo? 7. ¿Cuál era la obligación del comisionado? 8. ¿Cuántos pueblos se fundaron en California durante el régimen español? 9. ¿De qué carecían los presidios? 10. ¿A qué se atribuye el pobre estado de los pueblos? 11. Para no impedir la iniciativa de los habitantes, ¿qué es necesario hacer? 12. ¿Fué duradera la prosperidad de las misiones? 13. ¿Cuándo empezó a disminuir el poder de las misiones? 14. ¿Qué otra forma de colonización existía en la California colonial? 15. ¿Qué influencia llegaron a ejercer los ranchos? 16. ¿Dónde se reunía la familia después de cenar? 17. ¿Qué funciones se celebraban generalmente en el patio? 18. ¿Cuál era la celebración más importante del año? 19. ¿Cómo se divertían los californianos? 20. ¿Cómo se vestían los hombres? ¿Las mujeres?

II. *Read the sentences, replacing the dashes with the appropriate word or words chosen from the following list:*

alrededor	empezaron por	se dió	gente de razón
enseñanza	adelantar	cedió paso	se ocupaban
diversas	militares	impidió	daban a
ejército	suele decirse	al aire libre	asegurar

1. Las —— actividades de las misiones sólo servían para mantener a los indios. 2. Los padres se ocupaban de la —— de los indios. 3. Para —— su poder era necesario mantener un —— en California. 4. Se formaron pueblos —— de los presidios. 5. Al principio los pueblos fueron gobernados por las autoridades ——. 6. La obligación del comisionado era la de —— los planes del gobierno. 7. —— que la colonización española fué un fracaso. 8. La escasez de ayuda —— la iniciativa de los colonos. 9. La gente —— a una vida de indolencia. 10. La vida pastoral —— a otra más industrializada. 11. Los ranchos —— comprar ganado de las misiones. 12. Los rancheros eran ——. 13. De las tareas domésticas —— las mujeres de los rancheros. 14. Los cuartos —— un patio donde se reunía toda la familia.

III. *Rearrange the following words to form complete sentences.*

1. necesario, dominio, ejército, para, su, mantener, un, asegurar, era.
2. presidios, hizo, el, pueblos, gobierno, y, fundar, construir.
3. formaron, de, misiones, se, las, alrededor, pueblos.
4. del, escasez, país, intercambio, desarrollo, la, impidió, el, comercial, de.
5. eran, altos, los, gobierno, los, oficiales, del, propietarios.
6. inquietudes, vida, pero, una, llevaban, sin, activa.
7. los, trabajo, todo, indios, el, vaqueros, hacían.
8. celebración, el, año, más, del, rodeo, la, importante, era.

UN IDILIO PASTORAL

I. *Complete the sentences by replacing the dashes with the most appropriate word or words from the following list:*

de tarde en tarde
las Cortes de España
no se tomaron el trabajo
hacían falta
se echó a perder
someterse a
idilio pastoral
de vez en cuando
tocaron la campana
el nacimiento
rechazaron
la mayor parte de
absolutismo
doctrinas democráticas
así como

1. California estaba separada de España —— del resto del mundo. 2. Buques extranjeros anclaban —— en uno de los puertos. 3. A los de California les —— muebles, vidrio, prendas de vestir y artículos de lujo. 4. El órgano legislativo de España se llamaba ——. 5. En 1776 los norteamericanos —— para anunciar —— de un nuevo poder. 6. El nuevo gobierno fué inspirado en ——. 7. Los españoles trataron de perpetuar un gobierno basado en el ——. 8. Los padres —— de enseñarles a los indios a gobernarse ellos mismos. 9. Las colonias no querían —— los reglamentos promulgados por el rey. 10. —— las colonias españolas ganaron su independencia en el siglo XIX. 11. Todo el trabajo —— dentro de unos años. 12. La California antigua era en verdad un ——. 13. Los buques de México anclaban en California ——. 14. Los norteamericanos —— el poder de Inglaterra en 1776.

II. *Combine the phrases in column* A *with the appropriate phrases in column* B *to form complete sentences.*

A	B
1. La misión de San Francisco fué erigida en el mismo año	*a.* los indios bajo la dirección de los padres.
2. Fué la colonización de California por España la que puso fin	*b.* gratis a los viajeros.
3. Las mujeres se ocupaban de preparar y cocinar las comidas,	*c.* los indios ya habían perdido todo lo que a ellos pertenecía.
4. Aunque todos los terrenos eran para los indios, éstos	*d.* en que los norteamericanos rechazaron el poder de Inglaterra.
5. Todo el trabajo lo hacían	*e.* exterior y el placer de pasar unas horas con los viajeros.
6. Los padres trataron a los viajeros con la	*f.* a los planes de los otros países para apoderarse de ella.
7. Todos los servicios eran proporcionados	*g.* y restituidos a la Iglesia.
8. La única recompensa era el contacto con el mundo	*h.* no tomaban parte alguna en la administración de esos bienes.
9. Mientras tanto algunas personas	*i.* de lavar la ropa y de las demás tareas domésticas.
10. Cuando California se hizo parte de los Estados Unidos,	*j.* se apoderaron de los terrenos de las misiones.
11. Algunos edificios arruinados fueron reconstruidos	*k.* cordialidad por la cual California era bien conocida.

III. *Answer these questions in Spanish. Base your answer on the story.*

1. ¿Qué coincide con la ocupación de California por España? 2. ¿Cómo se llama la famosa campana que se encuentra en Filadelfia? 3. ¿Qué forma de gobierno trataron de establecer los norteamericanos? 4. ¿En qué año ganaron los norteamericanos su independencia? 5. Para fijarnos en la California pastoral, ¿qué es lo que tenemos que hacer? 6. ¿Qué se extendía a lo largo de la costa de la California pastoral? 7. ¿Qué

había prohibido el gobierno español? 8. ¿Lograron algunos buques extranjeros anclar en una de las bahías californianas? 9. ¿Qué les hacía mucha falta a los de California? 10. ¿De qué manera se celebraba la llegada de un buque yanqui? 11. ¿De qué pretexto servía la entrada de uno de los barcos extranjeros? 12. ¿Qué no tenían los indios antes de la llegada de los españoles? 13. ¿En qué se convirtió la tierra alrededor de las misiones? 14. ¿Qué cosas aprendieron los indios en las misiones? 15. ¿Qué perdían los indios una vez ingresados en las misiones? 16. ¿Dónde eran alojados los pocos viajeros que visitaban a California? 17. ¿Cuánto cobraban los padres por el alojamiento? 18. ¿Cuál era la recompensa de los padres? 19. ¿A quiénes debían pertenecer los terrenos y el ganado? 20. ¿Enseñaron los padres a los indios a gobernarse ellos mismos?

NUESTRA SEÑORA LA REINA DE LOS ÁNGELES

I. *Answer these questions in Spanish. Base your answer on the story.*

1. ¿Cómo se llamaba el segundo pueblo fundado en California? 2. ¿Cómo se llamaba el fundador? 3. ¿Con cuántas almas contaba el pueblo? 4. ¿Cómo eran las calles cincuenta años después de su fundación? 5. ¿De dónde vinieron los primeros colonos? 6. ¿En qué año fué nombrado Felipe de Neve gobernador de California? 7. ¿De qué se dió cuenta tan pronto como hubo llegado? 8. ¿Cuántos soldados había en todo el estado de California? 9. ¿Qué forma de gobierno marca la fundación de pueblos en California? 10. ¿De qué dependía el éxito de la obra de don Felipe de Neve? 11. Para atraer colonos, ¿qué se hacía constar en el reglamento que él promulgó? 12. ¿De qué constaba la ayuda para hacer una vida nueva en una tierra lejana? 13. ¿En qué año empezaron a llegar los colonos de México? 14. ¿Cómo se llaman los dos estados de México de donde vinieron los primeros colonos? 15. ¿De dónde había venido don Felipe para presenciar la fundación? 16. ¿Cómo se llama la ciudad ahora? 17. ¿Alrededor de qué fueron construidas las casas de los pobladores? 18. ¿Cuándo empezó a crecer Los Ángeles? 19. ¿Qué parte del *Pueblo* perdió su importancia con el desarrollo de la ciudad? 20. ¿Qué calle

fué restituida a su antigua gloria? 21. ¿Qué ambiente se retiene en aquella calle?

II. *Complete the sentences by choosing the most appropriate phrase from* **a**, **b**, *or* **c**.

1. A pesar de que el pueblo fué erigido según un plan
   a. no llegó a ser centro importante.
   b. llegó a ser la ciudad más grande de los Estados Unidos.
   c. más tarde parecía haber sido levantado sin plan alguno.

2. La falta de comunicación con el mundo exterior
   a. era muy provechosa para el pueblo.
   b. impedía el desarrollo del pueblo.
   c. adelantaba los planes del gobierno.

3. De Neve se dió cuenta de que
   a. las misiones no habían cultivado bastante terreno.
   b. las viviendas no eran bastante cómodas.
   c. los presidios estaban adecuadamente fortificados.

4. A la cabeza de la procesión se encontraba Felipe de Neve que
   a. acababa de venir de la Baja California.
   b. acompañaba la expedición para mostrar el camino.
   c. había llegado de Monterey para presenciar la fundación del pueblo.

5. De un pueblo que contaba con unas cuarenta almas, Los Ángeles
   a. dejó de existir diez años después.
   b. mandó provisiones a la colonia rusa.
   c. llegó a ser la cuarta ciudad de los Estados Unidos.

6. La calle Olvera es un vestigio español situado
   a. en el centro de una metrópoli norteamericana.
   b. a orillas del Río Guadalupe.
   c. en el centro del desierto.

7. Carece del movimiento de vehículos para
   a. no asustar a los niños.
   b. no molestar a los comerciantes.
   c. retener el ambiente de los tiempos pasados.

8. En el reglamento promulgado por don Felipe
   a. se hacían constar las obligaciones del gobierno.
   b. las necesidades de cada familia.
   c. los impuestos que el gobierno iba a cobrar.

III. *Choose from column* B *the phrase that best explains the names in column* A.

A	B
1. Nuestra Señora la Reina de Los Ángeles	*a.* un estado de la República Mexicana; situado en la frontera de Arizona
2. Felipe de Neve	*b.* río a orillas del cual Felipe de Neve hizo levantar el segundo pueblo de California
3. Río Guadalupe	*c.* estado de México situado en el Golfo de California
4. calle Olvera	*d.* un pueblo fundado por Felipe de Neve en 1781; la ciudad más grande en la costa del Pacífico
5. presidio de San Francisco	*e.* una misión situada a doce millas de Los Ángeles, donde se alojaron los colonos que vinieron de México
6. Sinaloa	*f.* un río a orillas del cual se construyó el primer pueblo de California
7. Sonora	*g.* una calle restituida en Los Ángeles para retener el ambiente de la España antigua
8. San Gabriel Arcángel	*h.* gobernador de California y fundador del Pueblo de Nuestra Señora la Reina de Los Ángeles
9. Río Porciúncula,	*i.* el lugar escogido por Juan Bautista de Anza; situado en San Francisco

VOCABULARY

ABBREVIATIONS: *adj.* adjective; *adv.* adverb; *art.* article; *comp.* comparative; *cond.* conditional; *conj.* conjunction; *coord.* coordinative; *def.* definite; *dem.* demonstrative; *dir.* direct; *f.* feminine; *fam.* familiar; *fut.* future; *ger.* gerund; *imper.* imperative; *imperf.* imperfect; *impers.* impersonal; *ind.* indicative; *indef.* indefinite; *indir.* indirect; *inf.* infinitive; *interj.* interjection; *interrog.* interrogative; *m.* masculine; *neut.* neuter; *obj.* object; *p.p.* past participle; *perf.* perfect; *pers.* person, personal; *pl.* plural; *poss.* possessive; *prep.* preposition; *pres.* present; *pret.* preterit; *pron.* pronoun; *refl.* reflexive; *rel.* relative; *sing.* singular; *subord.* subordinate.

A

a (*used before a personal direct object*) *prep.* to, at, on, in
abajo *adv.* down, below
abandonado, -a *adj. and p.p.* solitary, abandoned
abandonar to abandon
abanico *m.* fan
abierto, -a *adj. and p.p.* of **abrir** open, opened
abrigar to shelter; **—se** take shelter
abril *m.* April
abrir to open; **—se camino** break through
absolutismo *m.* absolutism
absoluto, -a *adj.* absolute
abundancia *f.* abundance
abundar to abound, have plenty
acá *adv.* here; **por —,** this way; **por — y por allá** here and there
acabado, -a *adj. and p.p.* finished; **caballero —,** perfect gentleman
acabar to end, finish; **— con** put an end to; **— de** + *inf.* have just + *p.p.*; **— por** finish by, finally finish
Acapulco Acapulco (*a port on the western part of Mexico*)
acaso *adv.* by chance, perhaps
acción *f.* action, act
aceptar to accept
acerca de *prep.* about, concerning
acercar to bring near; **—se a** approach, draw near to
Ácoma Ácoma (*an Indian village in central New Mexico situated on a precipitous rock*)
ácoma *m. and f.* a resident of Ácoma
acomodado, -a *adj. and p.p.* well-to-do, accommodated
acomodar to suit, please, accommodate
acompañado, -a *adj. and p.p.* accompanied
acompañar to accompany
aconsejar to advise
acostumbrado, -a *adj. and p.p.* accustomed, usual
acostumbrar to accustom, be in the habit of; **—se** (**a**) get used to
acreedor *m.* creditor
actitud *f.* attitude
actividad *f.* activity
activo, -a *adj.* active, quick
actual *adj.* actual, present
actualmente *adv.* at present, now
actuar to act, work
acudir to assist, be present; turn for help to
acuerdo *m.* agreement; **de — con** in accordance with; **estar de —,** to agree, be agreed upon
acusado, -a *adj. and p.p.* accused
acusado, -a *m. and f.* accused person
acusar to accuse
adecuado, -a *adj.* adequate, proper
adelantado *m.* provincial governor (*in Spanish colonial times*)

adelantar to progress, advance; **—se** go ahead
adelante *adv.* forward, ahead
además *adv.* besides, moreover; **— de** *prep.* in addition to
adivinar to foretell, guess
administración *f.* administration
admiración *f.* admiration
admirar to admire
admisible *adj.* admissible
¿ adónde ? ¿ a dónde ? where?
adoptivo, -a *adj.* adopted
adornado, -a *adj. and p.p.* adorned, decorated
adornar to adorn, decorate
adorno *m.* adornment
adquirir (ie) to acquire
afición *f.* affection, fondness
aficionado, -a *adj. and p.p.* fond; **ser — a** to be fond of
afortunadamente *adv.* fortunately
agarrar to clutch
agitación *f.* agitation, excitement
agosto *m.* August
agotado, -a *adj. and p.p.* exhausted
agotarse to become exhausted
agradable *adj.* agreeable, pleasant
agradar to please, gratify
agradecer to be grateful, thank
agradecido, -a *adj.* grateful, thankful
agradecimiento *m.* gratitude
agravar to aggravate
agravio *m.* grievance
agrícola *adj.* agricultural
agricultura *f.* agriculture
agua (el) *f.* water; **— dulce** fresh (drinking) water
águila (el) *f.* eagle
Agustín Augustine
ahora *adv.* now, at present
aire *m.* air, breeze; **al — libre** in the open air
airoso, -a *adj.* graceful
al = a + el at the; **al +** *inf.* on + *ger.*
Alabama *a state in the southern part of the United States*
Álamo, El *mission near San Antonio, Texas; used as a fort during the attack by the troop of Santa Ana in 1836*
Alaska *a former Russian colony in North America, now belonging to the United States*
alba (el) *f.* dawn
Albuquerque *a city in New Mexico*
alcalde *m.* mayor
alcance *m.* capacity, reach
alcanzar to reach, attain
aldea *f.* village
alegre *adj.* gay, happy
alegría *f.* happiness, joy
algo *pron. and adv.* something, somewhat
alguien *pron.* someone, anyone
algún (*used before m. sing. noun*) **= alguno** *adj.* some, any
alguno, -a *adj. and pron.* some, any
Alhambra, la Alhambra (*Moorish palace at Granada in Spain*)
alianza *f.* alliance, friendship
alimentar to feed, nourish
alimento *m.* food, nourishment
alma (el) *f.* soul
alojado, -a *adj. and p.p.* lodged, stationed
alojamiento *m.* lodging place
Alonso Alonzo, Alphonso
alrededor *adv.* around, about; **— de** *prep.* around
alrededores *m. pl.* surroundings
altar *m.* altar
altísimo, -a *adj.* very high
alto, -a *adj.* high, tall, great; **en lo —,** in the highest part, on the top
altura *f.* height
Álvar Alvar
Alvarado, Hernando de *one of Coronado's scouts; discoverer of Ácoma*
allá *adv.* there; **por —,** over there; **más —,** further; **¡ — vamos !** let's go there !
allí *adv.* there; **por —,** that way; **— mismo** right there
amado, -a *adj. and p.p.* beloved, dear
amado, -a *m. and f.* beloved, dear one
amarillo, -a *adj.* yellow
ambición *f.* ambition
ambiente *m.* atmosphere, environment
amenazado, -a *p.p.* menaced, threatened
amenazar to menace, threaten
América *f.* America; **la — Central** Central America; **la — del**

Norte North America; **la — del Sur** South America
americano, -a *adj. and noun* American; American man *or* woman
amigo, -a *m. and f.* friend
amistad *f.* friendship
amistoso, -a *adj.* friendly, cordial
amor *m.* love
ampliamente *adv.* largely, plentifully
ancla (**el**) *f.* anchor; **echar —,** to drop anchor; **mantenerse al —,** stay anchored
anclar to anchor
ancho, -a *adj.* wide, thick
andar to walk, step, move
Andrés Andrew
anexar to annex
angustia *f.* anguish, distress
anhelar to desire, long for
anhelo *m.* eagerness, strong desire
Anián, Estrecho de Strait of Anian
anillo *m.* ring
animación *f.* animation, bustle
animado, -a *adj. and p.p.* animated, lively
animal *m.* animal
animar to animate, encourage
ánimo *m.* spirit, courage
ansioso, -a *adj.* anxious, eager
antagonismo *m.* antagonism
ante *prep.* before, in front of
antepasados *m. pl.* ancestors
anterior *adj.* former, preceding, previous
anteriormente *adv.* previously
antes *adv.* before; **— de** *prep.* before
anticipado, -a *adj. and p.p.* premature, unexpected
anticipar to anticipate, advance
antiguo, -a *adj.* old, former
Antonio Anthony
anunciar to announce
añadir to add, join
año *m.* year
aparecer to appear
aparte *adv.* apart, separately
apenas *adv.* hardly, scarcely
aplicar to apply
apoderar to empower; **—se de** take possession of
apoyo *m.* support, help
aprender to learn
apresurar to hurry; **—se a** + *inf.* hasten + *inf.*
apropiado, -a *adj. and p.p.* appropriate
aprovechar to make use of; **—se de** take advantage of
apuntes *m. pl.* notes, memoranda
apuro *m.* danger, predicament
aquel, -ella, -ellos, -ellas *dem. adj.* that, those; **de aquel entonces** of that time
aquél, -élla, -éllos, -éllas *dem. pron.* that, those, the former
aquí *adv.* here; **por —,** this way, around here, over here; **— tiene** here is; **¡ — me tiene Vd. a sus órdenes !** here I am at your service !
árbol *m.* tree; **— frutal** fruit tree
ardiente *adj.* ardent, burning
arena *f.* sand
Argüello *a famous family of Spanish California;* **Concepción de —,** *daughter of the commandant of San Francisco during the Russian colonization of northern California*
Arizona *a state in the southwestern part of the United States*
Arkansas *a state in the United States*
arma (**el**) *f.* arm, weapon; **—s** weapons
Armada Española *f. Spanish fleet sent against the English in 1588*
armado, -a *adj. and p.p.* armed
armonía *f.* harmony
armonioso, -a *adj.* harmonious
arquitecto *m.* architect
arquitectura *f.* architecture
arrancar to pull out, pull out by the roots
arrebatar to carry off, snatch
arreglado, -a *adj. and p.p.* regular, in order, arranged
arreglar to arrange
arreglo *m.* order, arrangement; **con — a** according to
arrendado, -a *adj. and p.p.* leased
arriba *adv.* up, up there
arrojado -a *adj. and p.p.* hurled
arrojar to hurl, throw, throw away
arruinado, -a *adj. and p.p.* ruined
artículo *m.* article
artista *m. and f.* artist
artístico, -a *adj.* artistic

asalto *m.* assault; **por —,** by storm
ascender (ie) to ascend, climb
asegurar to affirm, assert, secure
asesino *m.* murderer, assassin
así *adv.* so, thus; **como —,** about, like; **— como** like, just, as
asilo *m.* shelter; asylum
asistencia *f.* attendance; assistance; favor
asistir (a) to be present, attend
asomar to show; **—se a** appear at, look out
asombrado, –a *adj. and p.p.* astonished, amazed; **quedar —,** to be surprised, amazed
asombrar to astonish, amaze
asombro *m.* astonishment, amazement
asombroso, –a *adj.* astonishing
aspecto *m.* phase, aspect
aspiración *f.* aspiration, desire
asunto *m.* subject, affair, matter
asustado, –a *adj. and p.p.* frightened, dismayed
asustar to frighten, scare, terrify
atacar to attack, assail
ataque *m.* attack
ataúd *m.* coffin, casket
Atlántico *m.* Atlantic, Atlantic Ocean
atmósfera *f.* atmosphere
atónito, –a *adj.* astonished, amazed
atraer to attract
atravesado, –a *p.p.* crossed, crossed over
atravesar (ie) to pass through, cross, cross over
atreverse (a) to dare, venture
atrevido, –a *adj. and p.p.* daring, bold, venturesome
atribuir to attribute
atribuye *3rd pers. sing. pres. ind. of* **atribuir**
atribuyen *3rd pers. pl. pres. ind. of* **atribuir**
atribuyó *3rd pers. sing. pret. of* **atribuir**
atrocidad *f.* atrocity
aumentar to increase, add
aumento *m.* increase, growth
aun (**aún** *after a verb*) *adv.* even, still, yet
aunque *conj.* although, even if
ausencia *f.* absence
ausente *adj.* absent
autoridad *f.* authority
avanzado, –a *adj. and p.p.* advanced
avanzar to advance, push forward
avemaría (el) *f.* Hail Mary; Angelus; **al —,** at dusk
aventura *f.* adventure
aventurar to risk
aventurero, –a *m. and f.* adventurer, adventuress
averiguar to investigate, ascertain
Ávila, Pedro de *a member of the Bobadilla family of Badajoz, Spain*
avisar to notify, announce, order
aviso *m.* notice, advice, warning
¡ ay ! *interj.* alas ! **¡ — de mí !** poor me !
ayuda *f.* aid, help
ayudar to aid, help
ayuntamiento *m.* city hall; *legislative body in Spanish California pueblos*
azteca *adj.* Aztec; *pertaining to the Aztec race*
azteca *m. and f.* Aztec (*The Aztecs founded the City of Mexico and possessed an advanced civilization. They were overthrown by the Spanish conqueror Hernán Cortés.*)
azul *adj.* blue, azure

B

Badajoz *a province in Spain*
Bahamas *a group of islands off the southeastern coast of Florida*
bahía *f.* bay, harbor
bailar to dance
baile *m.* dance, ball
bajar to go down, come down, let down
bajo, –a *adj.* low
bajo *prep.* under
balance *m.* balance
Balboa *see* **Núñez de Balboa, Vasco**
Baleares, Islas Balearic Islands (*Spanish province in the Mediterranean Sea*)
bandera *f.* flag, banner
bañar to bathe
barba *f.* beard, chin
barco *m.* boat
barril *m.* barrel, cask
basado, –a (en) *adj. and p.p.* based on

base *f.* base, foundation
basta *adv.* enough
bastante *adj. and adv.* enough, rather, quite
bastar to suffice, be sufficient, be enough
batalla *f.* battle
Bautista de Anza, Juan *founder of San Francisco; see* **Puerta de Oro**
bautizado, -a *adj. and p.p.* baptized, christened
bautizar to baptize, christen, name
beber to drink
belleza *f.* beauty
bello, -a *adj.* beautiful
bendecir to bless
bendito, -a *adj.* blessed
beneficio *m.* benefit, favor
Bering, Vitus Vitus Bering *Danish explorer in the service of Russia; discoverer of the Bering Strait*
Berkeley *a city in California; the site of the University of California*
bien *adv.* fully, well, right
bien *m.* benefit, welfare; **—es** property, wealth
Biminí *a fabulous island, said to belong to the Bahama group; the supposed location of the Fountain of Eternal Youth*
blanco, -a *adj.* white; *m.* the white man
Bobadilla *see* **familia Bobadilla**
boda (*usually pl.*) *f.* wedding
bondad *f.* goodness, kindness
bordar to embroider
bordo *m.* side of ship; **a —,** on board
Boston *a city in Massachusetts in the United States*
botín *m.* booty
Branciforte *see* **Villa Branciforte**
brazalete *m.* bracelet
brazo *m.* arm
brillante *adj.* brilliant, radiant
broma *f.* joke; **en —,** in jest
brotar to gush, flow
brujería *f.* witchcraft
brutal *adj.* brutal
buen (*used before m. sing. noun*) = **bueno** *adj.* good
bueno, -a *adj.* good
búfalo *m.* buffalo
buque *m.* boat
burlar to ridicule; **—se de** make fun of
busca *f.* search; **en — de** in search of
buscar to seek, look for

C

caballeresco, -a *adj.* chivalrous
caballero *m.* sir, gentleman
caballo *m.* horse; **a —,** on horseback
caber to fit into; **no cabe duda** there is no doubt
cabeza *f.* head; **a la — de** at the head of
Cabeza de Vaca *see* **Núñez Cabeza de Vaca, Álvar**
cabo *m.* extreme, cape, end; **al —,** at last; **al — de** at the end of
cada *indef. adj. and pron.* each, each one; **— cual, — uno** each one
cadena *f.* chain
caer to fall; **—se** fall down
café *m.* coffee, coffee shop
caída *f.* fall; **a la — de la tarde** at nightfall
Cale *Indian country in northwestern Florida where de Soto hoped to find great wealth*
calentar (ie) to heat
cálido, -a *adj.* warm, hot
caliente *adj.* hot
Calafia *queen of the Amazons in Montalvo's chivalrous tale "Las Sergas de Esplandián"*
Calderón de la Barca, Pedro (1600–1681) *last of the great Spanish dramatists and poets of the Golden Age; is known best for "La Vida es Sueño"*
California *f.* California; **Alta —,** *name applied to what is now called California to distinguish it from Baja California;* **Baja —,** *a peninsula on the west coast of Mexico, south of California*
californiano, -a *m. and f.* native of California
calma *f.* calm, tranquility, calmness
calmar to calm, quench (thirst)
caluroso, -a *adj.* hot, warm
callado, -a *adj.* silent, quiet
calle *f.* street

cama *f.* bed; **guardar —,** to be confined to bed
cámara *f.* chamber, house; **Cámara de Representantes** House of Representatives
cambiado, -a *adj. and p.p.* changed
cambiar to change
cambio *m.* exchange, change; **en —,** on the contrary, on the other hand
camino *m.* road, path, highway; **— de regreso** return trip; **de — (a)** on the road (to); **Camino Real** King's Highway (*the road that joined one California mission with the others*); **Camino de Santa Fe** Santa Fe Trail (*the road from St. Louis, Mo. to Santa Fe, N.M., followed by our pioneers*); **ponerse en —,** set out, start off
campana *f.* bell; **— de la Libertad** Liberty Bell (which see)
campanilla (*dim. of* **campana**) *f.* small bell
campo *m.* field; **— santo** cemetery
Canadá, el *m.* Canada
canal *m.* canal
canción *f.* song
cándido, -a *adj.* candid, simple
cansado, -a *adj.* tired
cansar to tire; **—se de** grow tired of
cantar to sing
cántaro *m.* water jug; **llover a —s** to rain bucketfuls, pour
cantidad *f.* quantity, amount
canto *m.* song, singing
cañón *m.* canyon, gorge
capaz *adj.* capable, able
capital *f.* capital (*city*) *m.* capital
capitán *m.* captain
capitolio *m.* capitol, majestic public building
capítulo *m.* chapter
cara *f.* face
carácter *m.* character
característico, -a *adj.* characteristic, typical
caracterizar to characterize, distinguish by peculiar qualities
caravana *f.* caravan
carecer (**de**) to lack
Careta *an Indian chief in Central America*
cargado, -a *adj. and p.p. of* **cargar** laden
cargar to load, charge
cargo *m.* load, burden
cariño *m.* affection
Carlos I Charles I (1500–1558) *king of Spain; also Holy Roman Emperor as Charles V*
Carlos II Charles II (1665–1700) *king of Spain, known as Carlos II, el Hechizado*
carne *f.* meat
carnero *m.* sheep, mutton
caro, -a *adj.* dear, expensive
Caroline, Fort *a French fort on the St. John's River in Florida for the protection of the Huguenot colony founded by Laudonnière*
carrera *f.* race; **— de caballos** horse race
carta *f.* letter
casa *f.* house, home
casar to marry; **—se con** marry, be married to
casi *adv.* almost, nearly; **— no** hardly
caso *m.* case, situation; **hacer —,** pay attention, make a fuss
castellano, -a *adj. and noun* Spanish, Castilian
castigar to punish
castigo *m.* punishment
castillo *m.* castle
Castillo, Alonso del *one of the companions of Cabeza de Vaca*
catástrofe *f.* catastrophe
catecismo *m.* catechism
catedral *f.* cathedral
católico, -a *adj. and noun* Catholic
catorce *adj.* fourteen
causa *f.* cause; **a — de** because of
causar to cause
cavar to dig
caverna *f.* cave, cavern
cayendo *ger. of* **caer**
cayeron *3rd pers. pl. pret. of* **caer**
cayó *3rd pers. sing. pret. of* **caer**
caza *f.* chase, hunting
ceder to yield, give up; **— paso** give way
celebración *f.* celebration
celebrar to celebrate
célebre *adj.* celebrated, famous
celo *m.* jealousy; **tener —s de** to be jealous of

celoso, -a *adj.* jealous
cenar to eat, dine
ceniza *f.* ashes
centinela *m.* sentinel
central *adj.* central
centro *m.* center
cerca *adv.* near, close by; — **de** *prep.* near
cercanía (*usually pl.*) *f.* neighborhood
cercano, -a *adj.* close by
ceremonia *f.* ceremony
Cervantes Saavedra, Miguel de (1547–1616) *the greatest figure in Spanish literature; best known for his masterpiece "Don Quijote de la Mancha"*
cesar to cease; — **de** stop; **sin —,** unceasingly
Cíbola *the fabulous seven cities, whose roofs and doors were supposed to have been of solid gold; see* **Siete Ciudades**
cielo *m.* sky, heaven
cien (*used before nouns*) = **ciento** *adj.* hundred
ciento *adj.* hundred, one hundred
cierto, -a *adj.* certain, sure
cima *f.* top, peak
cinco *adj.* five
cincuenta *adj.* fifty
ciudad *f.* city; **Ciudad de México** Mexico City
cívico, -a *adj.* civic, civil
civil *adj.* civil
civilización *f.* civilization
civilizado, -a *adj.* civilized
civilizador *m.* civilizer
claro, -a *adj.* clear, distinct; — **está** it is evident, of course
clase *f.* class, kind
clérigo *m.* clergyman
clima *m.* climate
cobrar to collect
cocinar to cook
cohabitar to live together
coincidir to coincide
colega *m.* colleague
colgar (**ue**) to hang, hang up
colocado, -a *adj. and p.p.* placed
colocar to place, lay
Colón, Cristóbal Christopher Columbus (1451–1506) *discoverer of the New World, born in Genoa, Italy*
colonia *f.* colony
colonial *adj.* colonial
colonización *f.* colonization
colonizado, -a *adj. and p.p.* colonized, settled
colonizador *m.* colonizer, settler
colonizar to colonize
colono *m.* colonist, settler
color *m.* color
colorado, -a *adj.* red
Colorado, Río Colorado River
Comagre *an Indian chief in Central America whose son, Panquiaco, told Balboa of the Pacific Ocean and Peru*
comandante *m.* chief, commander
combate *m.* struggle, battle, fight
comenzar (**ie**) to begin
comer to eat, dine
comercial *adj.* commercial
comerciante *m.* merchant
comercio *m.* commerce
cometer to commit, inflict
comida *f.* meal
comisionado *m. an officer appointed by the Spanish government in the pueblos of California;* commissioner
como *adv. and conj.* as, like, just as
cómo *adv.* how; **¡ — que no existe !** What do you mean it does not exist!
compañero, -a *m. and f.* companion, comrade
compañía *f.* company; **Compañía Ruso-Americana** Russian-American Trading Company
comparado, -a *adj. and p.p.* compared
comparar to compare
completamente *adv.* completely
completo, -a *adj.* complete; **por —,** completely
componer to repair; **—se** (**de**) consist (of)
Compostela *a city on the west coast of Mexico from where the Coronado Expedition started toward Cíbola*
comprar to buy
comprender to understand
comprobar (**ue**) to prove, verify, confirm
comprometer to bind, obligate; endanger
compuesto *p.p. of* **componer** re-

paired; — **de** made of, composed of
común *adj.* common, familiar
comunicación *f.* communication
con *prep.* with, by
conceder to concede, grant, give
conde *m.* count
condenado, -a *adj. and p.p.* condemned, sentenced
condenado, -a *m. and f.* one condemned
condenar to condemn, sentence
condición *f.* condition, qualification
conducir to lead, conduct
conducta *f.* conduct, behavior
condujo *3rd pers. sing. pret. of* **conducir**
confianza *f.* confidence
confiar to confide; — **en** trust in
confirmar to confirm, establish
conflicto *m.* conflict, struggle, dispute
conmemorar to commemorate
conmovedor, -ora *adj.* touching, moving
conmover (ue) to move, affect, touch
conmovido, -a *adj. and p.p.* moved, touched
conocer to know, be acquainted with
conocido, -a *adj. and noun* known, acquainted, acquaintance
conocimiento *m.* knowledge, acquaintance
conozco *1st pers. sing. pres. ind. of* **conocer**
conquista *f.* conquest
conquistado, -a *adj. and p.p.* conquered
conquistador *m.* conqueror
conquistar to conquer
conseguir (i) to obtain, get; — + *inf.* succeed in + *ger.*
consentir (ie) to consent; — **en** consent to
conservado, -a *adj. and p.p.* preserved
conservar to preserve
considerar to consider, think
consiguiente *m.* consequence, effect; **por (lo)** —, consequently
consiguió *3rd pers. sing. pret. of* **conseguir**
consintió *3rd pers. sing. pret. of* **consentir**
consistir to consist; — **en** consist of
conspirador *m.* conspirator, plotter
constante *adj.* constant, firm
constar to be evident; — **de** consist of
constituir to constitute
construcción *f.* construction; **en** —, under construction
construido, -a *adj. and p.p.* constructed
construir to construct, build
construyeron *3rd pers. pl. pret. of* **construir**
construyó *3rd pers. sing. pret. of* **construir**
consultar to consult
consumado, -a *adj. and p.p.* completed, accomplished
contacto *m.* contact
contar (ue) to count, tell, relate; — **con** count on, rely on
contemplación *f.* contemplation
contemplar to contemplate, gaze at
contener to contain
contento, -a *adj.* glad, pleased, satisfied
contestar to answer, reply
contiene *3rd pers. sing. pres. ind. of* **contener**
contienen *3rd pers. pl. pres. ind. of* **contener**
continente *m.* continent
continuamente *adv.* continually
continuar to continue
continuo, -a *adj.* continual, continuous
contra *prep.* against
contrario, -a *adj.* contrary
contrario *m.* contrary; **al** —, on the contrary; **lo** —, the contrary
contribuido, -a *p.p.* contributed
contribuir to contribute
controversia *f.* controversy
convencer to convince, assure
convencido, -a *adj. and p.p.* convinced
conveniente *adj.* proper, suitable
convenir to agree, suit
convento *m.* convent
conversación *f.* conversation
convertir (ie) to change; —**se en** be changed into

convidado, -a *m. and f.* guest
convirtieron *3rd pers. pl. pret. of* **convertir**
convirtió *3rd pers. sing. pret. of* **convertir**
copa *f.* top (*of a tree*)
corazón *m.* heart
cordialidad *f.* cordiality
cordialmente *adv.* cordially
cordillera *f.* chain *or* ridge of mountains
Coronado *see* **Vázquez de Coronado, Francisco**
correr to run; — **peligro (de)** run the risk (of)
corresponder to correspond
corrida *f.* course, race; **—s de toros** bullfights
corriente *f.* current, stream
corte *f.* court, residence of a sovereign
Cortereal, Gaspar *a Portuguese navigator who claimed to have found the Strait of Anian*
Cortes de España *legislative body of Spain*
Cortés, Hernán Hernán Cortés (1485–1547) *Spanish explorer and conqueror of Mexico*
corto, -a *adj.* short
cosa *f.* thing, something; **¡ qué — más extraña !** how strange !
coser to sew
costa *f.* side, coast; cost; **a — de** at the cost of
costumbre *f.* custom, habit
coyote *m.* coyote (*kind of wolf*)
crear to create
crecer to grow
creciente *adj.* increasing
creencia *f.* belief
creer to believe, think
Crespi, Juan Father Juan Crespi *Catholic priest and historian who accompanied the expedition that led to the discovery of the Golden Gate*
creyendo *ger. of* **creer**
criado, -a *m. and f.* servant
crianza *f.* breeding
criar to bring up, raise
crisol *m.* melting pot
cristal *m.* crystal, glass
cristianismo *m.* Christianity
cristiano, -a *m. and f.* Christian
cronista *m.* chronicler
crucifijo *m.* crucifix
cruel *adj.* cruel
crueldad *f.* cruelty
cruz *f.* cross
cruzado, -a *adj. and p.p.* crossed
cruzar to cross, pass
cuadrado, -a *adj. and p.p.* square
cuadro *m.* picture
cual *adv. and pron.* such, as, like, which; **el (la) (lo) —,** who, which
¿ cuál ? *adj. and pron.* what? which? which one?
cualquier(a) *adj. and pron.* anybody, whatever
cuando *adv. and conj.* when; **de vez en —,** from time to time
¿ cuándo ? when? **¿ hasta — ?** until when?
cuanto, -a *adj. and pron.* as much, as many; **en — a** *prep.* regarding, concerning, as for
¿ cuánto, -a ? *adj. and pron.* how much? how many?
cuarenta *adj.* forty
cuarto, -a *adj.* fourth
cuarto *m.* room
cuatro *adj.* four
cuatrocientos *adj.* four hundred
Cuba *f.* Cuba *the largest and most important island in the Caribbean*
cubierta *f.* cover
cubierto, -a *adj. and p.p. of* **cubrir** covered
cubrir to cover, protect
cuenta *f.* account; **—s pendientes** unfinished business
cuenta *3rd pers. sing. pres. ind. of* **contar**
cuentan *3rd pers. pl. pres. ind. of* **contar**
cuento *m.* story, tale
cuerno *m.* horn
cuero *m.* hide, leather
cuerpo *m.* body
cueva *f.* cave
cuidado *m.* care, precaution; **tener —,** to be careful; **no hay —,** there is no danger
cuidar to take care, be careful; **— de** take care of
culpa *f.* fault, guilt, blame; **tener la —,** to be to blame
culpable *adj.* guilty
cultivado, -a *adj. and p.p.* cultivated

cultivar to cultivate
cultivo *m.* cultivation
cumbre *f.* crest, peak
cumplido, -a *adj. and p.p.* fulfilled; polished, courteous
cumplimiento *m.* discharge
cuna *f.* cradle
cuñado *m.* brother-in-law
cúpula *f.* dome
cura *m.* priest
curandero *m.* medicine man
curar to cure, heal
curioso, -a *adj.* curious, strange
curso *m.* course
cuyo, -a *poss. adj.* of whom, of which, whose

Ch

Chamita *formerly called San Gabriel de los Españoles; near Santa Fe, N.M.*
charlar to chat
Chihuahua *a state in northern Mexico*

D

dado, -a *p.p.* given
danza *f.* dance
daño *m.* harm
dar to give; — **a** face; — **batalla** wage war; — **fe** testify; — **por resultado** result in; — **un paseo** take a walk; **—se a** + *noun* devote oneself to; **—se cuenta de** realize
Darién *the Gulf and Isthmus of Panama, formerly of Colombia; the site of the first Spanish settlement on the Isthmus*
de *prep.* from, of, with, in, for
debajo *adv.* under, underneath, below
debate *m.* debate, discussion
deber *m.* duty
deber to owe, be obliged to; ought, must
debido, -a *adj. and p.p.* due, proper; — **a** owing to
débil *adj.* weak
decaer to decline
decidido, -a *adj. and p.p.* bold, decided
decidir to decide; **—se a** be determined to
decidme *imper. of* **decir** tell me
decir to say, tell; **es —**, that is to say; **querer —**, mean; **se dice** it is said
decisión *f.* decision
dedicar to devote, dedicate; **—se a** give oneself up to
defender to defend, protect
deficiencia *f.* deficiency, imperfection
dejar to leave, allow; — **de** cease
dejaréis *2nd pers. pl. fut. of* **dejar**
del = **de** + **el** of the
delante *adv.* before; — **de** *prep.* in front of
delegación *f.* delegation
delicado, -a *adj.* delicate, tender
delito *m.* crime, guilt
demanda *f.* demand
demás *adj. and pron.* rest, other
demasiado, -a *adj. and adv.* too many, too much
democrático, -a *adj.* democratic
demonio *m.* demon
dentro *adv.* inside, within; — **de** *prep.* within, inside; — **de poco** after a while, within a short time
depender to depend
deplorable *adj.* deplorable
depósito *m.* deposit
derecho, -a *adj.* right, straight
derecho *m.* right
derramamiento *m.* spilling, shedding; — **de sangre** shedding of blood
derribar to demolish, level to the ground
derrota *f.* defeat, overthrow
desafortunado, -a *adj.* unfortunate, ill-fated
desanimado, -a *adj. and p.p.* disheartened, discouraged
desanimar to dishearten, discourage
desaparecer to disappear
desarrollar to develop
desarrollo *m.* development
desastre *m.* disaster
descalzo, -a *adj.* barefoot
descansar to rest
descanso *m.* rest
descendiente *m.* descendent
desconocido, -a *adj. and noun* unknown, strange, stranger
descontento, -a *adj.* discontented

descripción *f.* description
descubierto, –a *adj. and p.p. of* **descubrir** discovered, disclosed
descubridor *m.* discoverer
descubrimiento *m.* discovery
descubrir to discover, disclose
desde *prep.* from, since; — **luego** at once; of course
deseado, –a *adj. and p.p.* desired, much sought after
deseáis *2nd pers. (fam.) pl. pres. ind. of* **desear**
desear to desire, wish, want
desembarcado, –a *adj. and p.p.* landed, disembarked
desembarcar to land
desembarque *m.* landing
desempeñar to undertake
desengañar to undeceive, set right
desengaño *m.* disappointment; **—s** sad teachings from experience
deseo *m.* desire, wish
desfigurar to deform, disfigure
desgraciado, –a *adj.* unfortunate
desierto *m.* desert, wasteland
designado, –a *adj. and p.p.* designated
desilusionado, –a *adj. and p.p.* disillusioned, disappointed
desnudo, –a *adj.* naked, bare
despachado, –a *adj. and p.p.* sent, dispatched
despachar to dispatch, send off
despedida *f.* farewell, leave-taking
despedir (i) to dismiss, send off; **—se de** take leave of
despertar (ie) to awake; **—se** wake up
despide *3rd pers. sing. pres. ind. of* **despedir**
despidiéndose *ger. of* **despedirse**
despidieron *3rd pers. pl. pret. of* **despedir**
despidió *3rd pers. sing. pret. of* **despedir**
despojado, –a *adj. and p.p.* deprived of
despojar to deprive of, cut off from
despreciado, –a *adj. and p.p.* despised, looked down upon
después *adv.* after, afterwards; — **de** *prep.* after
destinado, –a *adj. and p.p.* assigned to a particular end, destined
destruido, –a *adj. and p.p.* destroyed, ruined
destruir to destroy
destruyeron *3rd pers. pl. pret. of* **destruir**
destruyó *3rd pers. sing. pret. of* **destruir**
desventura *f.* misfortune, calamity
detallado, –a *adj.* detailed
detalle *m.* detail
detener to stop, detain; **—se** stop
detenido, –a *adj.* careful, thorough
determinado, –a *adj. and p.p.* determined
detiene *3rd pers. sing. pres. ind. of* **detener**
detienen *3rd pers. pl. pres. ind. of* **detener**
detuvo *3rd pers. sing. pret. of* **detener**
deuda *f.* debt
devoción *f.* devotion
devolver (ue) to restore, return
día *m.* day
Díaz, Melchor *one of Coronado's scouts who crossed the Colorado River and penetrated into California in 1540*
dice *3rd pers. sing. pres. ind. of* **decir; se —,** it is said
dicen *3rd pers. pl. pres. ind. of* **decir**
dicho *p.p. of* **decir**
diente *m.* tooth
dieron *3rd pers. pl. pret. of* **dar**
diestro, –a *adj.* skillful
diez *adj.* ten
difícil *adj.* difficult
dificultad *f.* difficulty
dignatario *m.* dignitary
dignidad *f.* dignity
dijeron *3rd pers. pl. pret. of* **decir**
dijo *3rd pers. sing. pret. of* **decir**
dinamarqués *m.* citizen of Denmark
dió *3rd pers. sing. pret. of* **dar**
dios *m.* god; **Dios** God
diplomático *m.* diplomat
dirección *f.* direction, address
directo, –a *adj.* direct
dirigir to direct; **—se a** speak to, turn to; go toward
disfrutar to enjoy, profit
disipación *f.* dissipation
disminuir to diminish, grow less

disminuyendo *ger. of* **disminuir**
disminuyeron *3rd pers. pl. pret. of* **disminuir**
disminuyó *3rd pers. sing. pret. of* **disminuir**
disponer to dispose
dispuesto, -a *adj. and p.p.* of **disponer** disposed, ready, willing
disputa *f.* dispute
distancia *f.* distance
distinto, -a *adj.* distinct, different
distribución *f.* distribution
diverso, -a *adj.* different, varied
dividir to divide
divisar to perceive from a distance
doce *adj.* twelve
doctrina *f.* doctrine
doméstico, -a *adj.* domestic
domicilio *m.* house, home
dominar to rule, dominate
dominio *m.* rule, dominion, power
don *m. title for a gentleman, used before a Christian name*
doncella *f.* maiden, maid
donde *adv.* where, in which, to which; **¿dónde?** where?
doña *f. title for a lady, used before a Christian name*
dorado, -a *adj.* gilded, golden
Dorado, El *see* **Eldorado**
Dorantes, Andrés *one of the three companions of Cabeza de Vaca*
dormir (**ue**) to sleep
dos *adj.* two
doscientos *adj.* two hundred
Drake Sir Francis Drake *British navigator, officer, and buccaneer (1540–1596)*
Drake's Bay *north of San Francisco, California, where Sir Francis Drake landed on June 17, 1579*
dramático, -a *adj.* dramatic
duda *f.* doubt; **sin —,** no doubt; **no cabe —,** no doubt, doubtless
dudar to doubt
dueño *m.* owner, master
duerme *3rd pers. sing. pres. ind. of* **dormir**
dulce *adj.* sweet; **agua —,** drinking water
dulzura *f.* sweetness
duración *f.* duration
duradero, -a *adj.* lasting
durado *p.p.* lasted
durante *prep.* during, for
durar to last
duro, -a *adj.* hard

E

e (*used before words beginning with* **i** *and* **hi**) = **y** *conj.* and
eclesiástico, -a *adj.* ecclesiastic, ecclesiastical
eco *m.* echo
echar to throw, cast; **— ancla** cast anchor; **— suertes** draw lots; **—se a perder** spoil
edad *f.* age; **a la — de** at the age of
edificado, -a *adj. and p.p.* built, raised
edificar to build, construct
edificio *m.* building, edifice
efectivo *m.* cash
efecto *m.* effect, purpose; **en —,** in fact
efectuar to bring to pass, accomplish
ejecutar to execute, carry out
ejercer to exercise, perform, practice; **— un oficio** practice a trade
ejército *m.* army
él *pers. pron.* he, him, it; **de —,** his
el *def. art. m. sing.* the; **— de** *or* **— que** the one, he
Eldorado *m. derived from the legend El Dorado; fabulous country containing unlimited gold; any place where gold is plentiful*
elegante *adj.* elegant
elegido, -a *adj. and p.p.* elected, chosen
elegir (**i**) to elect, choose
elevado, -a *adj. and p.p.* raised, built, elevated
elevar to raise
eliminar to eliminate
El Morro *m. national monument in New Mexico containing historic inscriptions of explorers and early explorations*
elocuencia *f.* eloquence
elocuente *adj.* eloquent
El Paso *a city in Texas*
ella *pers. pron.* she, her, it; **de —,** hers, her
ellos, -as *pers. pron.* they, them
emancipar to free
embargo *m.* embargo, restraint **sin —,** nevertheless

empezar (**ie**) to begin
empleado, -a *adj. and p.p.* employed, used; *m. and f.* employee
emplear to employ, use
emporio *m.* emporium, mart, commercial center
empresa *f.* enterprise
empujar to push
empuje *m.* drive, push
en *prep.* in, on, at, about, by, of; **— seguida** at once
enamorado, -a *adj. and p.p.* in love; **estar — de** to be in love with; *m.* beloved, sweetheart
enamorarse to fall in love; **— de** fall in love with
encabezado, -a *p.p.* headed, led
encantado, -a *adj.* enchanted, fascinating
encantador, -ora *adj.* charming
encanto *m.* attraction, charm
encarcelado, -a *adj. and p.p.* imprisoned
encargado, -a *adj. and p.p.* entrusted
encargar to recommend, entrust, commission; **—se de** take charge of
encargo *m.* charge, commission, order
encerrar (**ie**) to contain, include
encierran *3rd pers. pl. pres. ind. of* **encerrar**
Enciso *see* **Fernández de Enciso, Martín**
encomendar (**ie**) to entrust
encomienda *f.* charge, commission
encontrar (**ue**) to find, meet; **—se** be, find oneself; **—se con** meet, come upon
encuentra *3rd pers. sing. pres. ind. of* **encontrar**
encuentran *3rd pers. pl. pres. ind. of* **encontrar**
encuentro *m.* meeting, encounter
enemigo *m.* enemy
energía *f.* energy
enérgico, -a *adj.* energetic, vigorous
enero *m.* January
enfermedad *f.* illness, infirmity
enfermo, -a *adj. and noun* sick, ill; patient
engañado, -a *p.p.* deceived, fooled, tricked
engañar to deceive, trick
enorme *adj.* large, enormous
enseñanza *f.* teaching
enseñar to teach
ensueño *m.* illusion, fantasy, dream
entender (**ie**) to understand
enterado, -a *p.p.* informed
enterar to inform; **—se de** be informed, find out
enterrado, -a *p.p.* buried
enterrar (**ie**) to bury
entonces *adv.* then; **en aquel —,** at that time; **desde —,** from then on
entrada *f.* entrance, door, gate, entry; **la — del otoño** the coming of autumn
entrar to enter
entre *prep.* between, in, among
entregado, -a *adj. and p.p.* handed over, given
entregar to hand over, deliver
enviado, -a *adj. and p.p.* sent
enviar to send
envidiable *adj.* enviable
episodio *m.* episode
época *f.* epoch, age, time
equilibrio *m.* equilibrium, balance
equipado, -a *adj. and p.p.* equipped
equivocado, -a *p.p.* mistaken
equivocar to mistake; **—se** be mistaken
equívoco *m.* mistake
era(n) *imperf. ind. of* **ser** was (were)
erigido, -a *p.p.* raised, built
erigir to erect
es *3rd pers. sing. pres. ind. of* **ser**
escabroso, -a *adj.* rough, uneven, rocky
escalera *f.* staircase, ladder
escapar to escape
escasez *f.* scarcity
escena *f.* scene
esclavitud *f.* slavery
esclavo *m.* slave
escogido, -a *adj. and p.p.* chosen
esconder to hide, conceal
escondido, -a *adj. and p.p.* hidden, concealed
escribir to write
escrito, -a *adj. and p.p. of* **escribir** written
escritor *m.* writer, author
escuchar to listen, hear
escudo *m.* coat of arms
escuela *f.* school

escultor *m.* sculptor
escultura *f.* sculpture
ese, esa, esos, esas *dem. adj.* that, those
ése, ésa, ésos, ésas *dem. pron.* that, that one, those
esfuerzo *m.* effort
eso *neut. dem. pron.* that; **por —,** that's why, therefore
espacio *m.* space, place
espacioso, -a *adj.* spacious
espada *f.* sword
España *f.* Spain
español, -ola *adj. and noun* Spanish, of Spain; Spaniard, Spanish woman
Española *f. the second largest island of the West Indies; divided between two republics: Haiti and the Dominican Republic*
esparcido, -a *adj. and p.p.* scattered
espectáculo *m.* spectacle
espera *f.* expectation; **en —,** in expectation, waiting for
esperanza *f.* hope
esperar to wait for, hope
espíritu *m.* spirit, soul
Esplandián *see* **Sergas de Esplandián**
esposa *f.* wife
esposo *m.* husband
esqueleto *m.* skeleton
está(n) *3rd pers. sing. (pl.) pres. ind. of* **estar**
establecer to establish, settle
establecido, -a *adj. and p.p.* established
establecimiento *m.* establishment
estación *f.* season, station
estado *m.* state, condition
Estado de Oro *m.* Golden State (*the name applied to California*)
Estados Unidos (del Norte), los the United States
estancia *f.* stay, sojourn
estar to be; **— para** be about to, be on the point of; **— de acuerdo** agree, be in agreement; **— seguro de que** be sure that; **claro está** of course, naturally; **estaban por fundirse** were contemplating melting
estatua *f.* statue
este, esta, estos, estas *dem. adj.* this, these
éste, ésta, éstos, éstas *dem. pron.* this, this one, these, the latter
este *m.* east
Estebanico *the Moorish companion of Cabeza de Vaca; took part in the expedition of Friar Marcos that led to the discovery of Arizona*
estimar to esteem, consider
estímulo *m.* stimulus, encouragement
esto *neut. dem. pron.* this; **por —,** for this reason
estrecho, -a *adj.* narrow
estrecho *m.* strait; **Estrecho de Anián** Strait of Anian; **Estrecho de Bering** Bering Strait
estudiante *m.* student, scholar
estudio *m.* study; **centro de —s** an educational center
eterno, -a *adj.* eternal
Europa *f.* Europe
europeo, -a *adj. and noun* European
evidente *adj.* evident
evitar to avoid, elude, escape
exactamente *adv.* exactly
exacto, -a *adj.* exact, certain
examinar to examine
exceder to exceed, surpass
excelencia *f.* excellence
excepción *f.* exception
exclamar to exclaim, cry
exclusivamente *adv.* exclusively
existencia *f.* existence, life
existir to exist, live; **¡cómo que no existe!** what do you mean it does not exist!
éxito *m.* success; **buen —,** success
expedición *f.* expedition
explicar to explain
exploración *f.* exploration
explorado, -a *adj. and p.p.* explored
explorador *m.* explorer
explorar to explore
explotación *f.* development, exploitation
expresar to express
expulsión *f.* expulsion
extender (ie) to extend, spread
extendido, -a *adj. and p.p.* stretched out, extended
extensión *f.* extent, space
extenso, -a *adj.* extensive
exterior *adj. and noun* exterior, outside, external
exterminación *f.* extermination

exterminar to exterminate
extranjero, -a *adj. and noun* foreign, strange; foreigner, stranger
extraño, -a *adj.* strange, odd; **¡ qué cosa más extraña !** how strange !
extraordinario, -a *adj.* extraordinary
Extremadura *region in western Spain*

F

fácil *adj.* easy
fachada *f.* façade, front
falsificación *f.* falsification, forgery
falta *f.* error, fault; **hacer —,** lack; need; **por — de** for lack of; **sin —,** without fail
faltar to be lacking; **— a** fail, break (*a promise*), neglect
fama *f.* fame, reputation
familia *f.* family, home
familia Bobadilla *one of the most influential families of Spain*
famoso, -a *adj.* famous
fantástico, -a *adj.* fantastic
fatigado, -a *adj. and p.p.* weary, tired
favor *m.* favor, kindness
favorecer to favor, help
favorecido *m.* favored one
fe *f.* faith; **dar —,** to testify
febrero *m.* February
fecha *f.* date
Felipe II Philip II (1527–1598) *king of Spain; under his rule the Spaniards suffered their greatest naval defeat at the hands of the English, the destruction of the Spanish Armada*
feliz *adj.* happy, pleasant
Fernández de Enciso, Martín *in whose boat Vasco Núñez de Balboa hid in a barrel as a stowaway; the charges of Fernández led to the execution of Balboa*
Ferrelo, Bartolomé *chief pilot of Juan Rodríguez Cabrillo; continued the expedition after the death of his captain*
Ferrer de Maldonado, Lorenzo *who claimed to have found and crossed the Strait of Anian near the Labrador Peninsula*
ferrocarril *m.* railroad
festividad *f.* festivity; **—es** merrymaking
fiel *adj.* faithful
fiesta *f.* feast, entertainment, festivity; **día de —,** holiday
figura *f.* figure, shape
figurar to imagine; figure; **— entre** come under
fijado, -a *adj. and p.p.* fixed, set; noticed
fijaos *imper. pl. of* **fijarse**
fijar to fix, determine on; **—se en** notice, pay attention to
fijo, -a *adj.* fixed, definite
Filadelfia Philadelphia (*a city in Pennsylvania, United States*)
Filipinas *f. pl.* Philippines
fin *m.* end, finish; **en —,** in short; **al —,** at last; **por —,** at last, finally; **a —es de** toward the end of
final *adj.* final
finalmente *adv.* finally
firme *adj.* firm
flecha *f.* arrow
flor *f.* flower
Florida, la *f.* Florida (*a state in the southern part of the United States*)
florido, -a *adj.* flowery
flotilla *f.* flotilla, small fleet
fonda *f.* restaurant
fondo *m.* bottom, depth; **en el —,** at the bottom
forastero *m.* stranger
forma *f.* form
formación *f.* formation
formalidad *f.* formality, seriousness
formar to form
formidable *adj.* formidable, impressive
fornax stove (*in Latin*)
fortaleza *f.* fortress, stronghold
fortificación *f.* fortification
fortificado, -a *adj. and p.p.* fortified
fortín *m.* fortin, small fort
Fort Ross *near San Francisco; the place occupied by the Russians during their colonization attempt in California*
fortuna *f.* fortune, luck
fosforescente *adj.* phosphorescent, luminous
fracasado, -a *adj. and p.p.* failed
fracasar to fail
fracaso *m.* failure

fraile *m.* friar, brother
francés, -esa *adj. and noun* French; native of France
franciscano, -a *adj.* Franciscan, belonging to the Franciscan Order
Francisco Francis
fray (*used before proper name*) = **fraile** friar
frecuencia *f.* frequency; **con —,** often
frente *m.* front; **en — de** *prep.* in front of; **— a** *prep.* opposite, facing
fresco, -a *adj.* fresh, cool
frío, -a *adj.* cold
frontera *f.* boundary
frustrado, -a *adj. and p.p.* frustrated
fruta (*usually pl.*) *f.* fruit
frutal *adj.* fruit-bearing; **árbol —,** fruit tree
Fuca, Juan de *a Greek mariner in the service of Spain who claimed to have discovered the Strait of Anian; the entrance to Puget Sound in the State of Washington is named in his honor*
fué *3rd pers. sing. pret. of* **ir** *or* **ser**
fuego *m.* fire
fuente *f.* spring, fountain
fuera *adv.* out, outside; **— de** *prep.* outside
fueron *3rd pers. pl. pret. of* **ir** *or* **ser**
fuerte *adj.* strong
fuerza *f.* force, strength; **a — de** by dint of, through; **por la — de las armas** by force of arms
fumar to smoke
función *f.* function, performance, affair
fundación *f.* foundation, founding
fundado, -a *adj. and p.p.* founded
fundador *m.* founder
fundar to found
fundición *f.* melting, casting
fundido, -a *adj. and p.p.* fused, melted, cast
fundir to fuse, melt, cast
furioso, -a *adj.* furious
futuro *m.* future; **en lo —,** in the future

G

Gálvez, José *inspector general of Mexico who organized the expedition to Alta California and who appointed Father Serra president of the missions of California*
gallardo, -a *adj.* gallant, noble
gana *f.* desire; **de mala —,** unwillingly; **de buena —,** willingly, gladly; **sin —,** listlessly; **tener —s de** to feel like, have a desire to
ganado, -a *adj. and p.p.* gained
ganado *m.* cattle, livestock
ganar to win, earn
Garcés, Francisco Father Francisco Garcés *one of Bautista de Anza's guides across the Sierras; had charge at one time of San Xavier del Bac Mission, near Tucson, Arizona*
gastar to spend
gasto *m.* expense, expenditure
general *adj. and noun* general, common; **por lo —,** generally
generalmente *adv.* generally
género *m.* class, manner, type
gente *f.* race, people
Georgia *state in the southern part of the United States*
gigante *m.* giant
gloria *f.* glory
glorificar to glorify
glorioso, -a *adj.* glorious
gobernación *f.* government
gobernado, -a *adj. and p.p.* governed
gobernador *m.* governor
gobernar (ie) to rule; **—se** rule oneself
gobierno *m.* government, management
golfo *m.* gulf
gota *f.* drop
Gourgués, Dominique de *Frenchman who avenged the death of the French Lutherans in Florida*
gozar (de) to enjoy
grabado, -a *adj. and p.p.* engraved; carved, cut
gracia *f.* grace; **—s** thanks; **—s a** thanks to; **dar las —s** to thank
gráfico, -a *adj.* graphic
gran (*used before sing. noun*) = **grande** *adj.* great; big
Granada *city and province in southern Spain; the last stronghold of the Moors in the Iberian Peninsula*
Gran Cañón de Arizona Grand

Canyon of Arizona (*one of the National Parks of the United States; discovered by García López de Cárdenas in 1540*)
grande *adj.* large, great
grandeza *f.* grandeur, greatness
gratis *adv.* gratis, free
grave *adj.* serious, grave
gravemente *adv.* gravely
griego, –a *adj. and noun* Greek, native of Greece
griego-católico, –a *adj.* Greek-Catholic; referring to the Greek-Catholic *or* Greek-Orthodox Church
gris *adj.* grey
grito *m.* cry; **a voz en —,** shouting
grueso, –a *adj.* thick, stout, heavy
grupo *m.* group
Guadalupe *a river in California; upon its banks was built the first pueblo, San José de Guadalupe*
guardar to guard, keep; **— cama** be confined to bed
Guatemala *republic in Central America*
guerra *f.* war
guerrero, –a *adj. and noun* fighting, warlike; warrior
guiar to guide
guitarra *f.* guitar

H

ha(n) *3rd pers. sing. (pl.) pres. ind. of* **haber**
Habana, la *f.* Havana (*capital of Cuba*)
haber to have; *used to form the perf. tenses;* **— de** + *inf.* have to . . . ; **por —,** because
había *impers. form of* **haber** there was, there were
hábil *adj.* skillful
habilidad *f.* ability, dexterity, quickness
habitación *f.* dwelling, residence
habitante *m.* inhabitant
hablar to speak, talk; **oír —,** hear about
habría(n) *3rd pers. sing. (pl.) conditional of* **haber**
hacer to do, make, cause; **— caso** pay attention; **— una pregunta** ask a question; **— un viaje** take a trip; **¿ qué — ahora ?** what's to be done now? **hace calor** it is warm; **hace mucho tiempo** a long time ago; **hace poco** a short time ago; **hace siglos** centuries ago; **—se** become; **—se a la vela** set sail; **—se daño** hurt oneself
hacia *prep.* toward
hallado, –a *adj. and p.p.* found
hallar to find; **—se** be, be located
hambre (el) *f.* hunger; **tener —,** to be hungry
haría(n) *3rd pers. sing. (pl.) conditional of* **hacer**
hasta *adv.* until, as far as, even
hay *impers. form of* **haber** there is, there are; **— que** + *inf.* one must
hazaña *f.* exploit, deed; **¡ qué —s más heroicas cuentan !** what heroic deeds they tell !
he *1st pers. sing. pres. ind. of* **haber**
hechizado, –a *adj. and p.p.* bewitched
hecho *p.p. of* **hacer** done, made
hecho *m.* fact, act
hemos *1st pers. pl. pres. ind. of* **haber**
heredado, –a *p.p. of* **heredar** inherited
heredero *m.* heir
herida *f.* wound
herido, –a *adj. and p.p.* wounded
herir (ie) to wound, strike
hermano *m.* brother
hermoso, –a *adj.* beautiful, fair
hermosura *f.* beauty
héroe *m.* hero
heroico, –a *adj.* heroic
heroísmo *m.* heroism
hicieron *3rd pers. pl. pret. of* **hacer**
hija *f.* daughter
hijo *m.* son; **—s** sons, children; sons and daughters
historia *f.* history, story, tale
histórico, –a *adj.* historic
hizo *3rd pers. sing. pret. of* **hacer**
hoja *f.* leaf, sheet of paper
hombre *m.* man
honor *m.* honor
honradez *f.* honor, honesty, integrity
hora *f.* hour, time
horizonte *m.* horizon
horno *m.* oven, stove

horrible *adj.* dreadful, horrible
hospitalidad *f.* hospitality
hostilidad *f.* hostility
hotel *m.* hotel
hoy *adv.* today, now, at present; **— día** today, nowadays
hubieron *3rd pers. pl. pret. of* **haber**
hubo *3rd pers. sing. pret. of* **haber;** *impers. expression* there was
huésped *m.* guest
hugonote, –ota *adj.* Huguenot, French Protestant
Huícar *sculptor who made the statuary and decorations on the San José de Aguayo Mission, near San Antonio, Texas*
huir to flee, run away
humano, –a *adj.* human; **seres —s** human beings
humillación *f.* humiliation
humo *m.* smoke

I

iba(n) *3rd pers. sing. (pl.) imperf. ind. of* **ir**
ibérico, –a *adj.* Iberian, Spanish
idea *f.* idea
idealismo *m.* idealism
idilio *m.* idyl
idioma *m.* language
ido *p.p. of* **ir** gone
iglesia *f.* church
ignorancia *f.* ignorance
ignorar to be ignorant of, not to know
igual *adj.* equal, alike, even; **sin —**, unique, unparalleled
igualar to equal
iluminado, –a *adj. and p.p.* illuminated
imagen *f.* statue, image
imaginación *f.* imagination
imaginar(se) to imagine, fancy
imaginario, –a *adj.* imaginary
imitación *f.* imitation
impedir (i) to prevent, hinder
imperial *adj.* imperial
imperio *m.* empire
impidieron *3rd pers. pl. pret. of* **impedir**
implemento *m.* implement, tool
implorar to implore
importancia *f.* importance
importante *adj.* important
importar to matter; **¿qué importa?** what does it matter?
impresionar to impress
improvisado, –a *adj. and p.p.* improvised
improvisar to improvise, extemporize
impuestos *m. pl.* duties, taxes
inaccesible *adj.* inaccessible
inca *adj. and noun* Inca, Peruvian Indian, *pertaining to the Incas or the Inca civilization*
incluido, –a *adj. and p.p.* included
incluso *adj.* included, enclosed
incompleto, –a *adj.* incomplete
increíble *adj.* incredible; **parece —**, it seems unbelievable, incredible
inculto, –a *adj.* uncultured, ignorant
independencia *f.* independence
independiente *adj.* independent
Indias *f. pl.* Indies, Spanish America
indicar to indicate
indignado, –a *adj.* indignant, angry
indio, –a *adj. and noun* Indian, *pertaining to Indian races and cultures*
indolencia *f.* indolence
industria *f.* industry
industrial *adj.* industrial
industrializado, –a *adj. and p.p.* industrialized
industrializar to industrialize
inevitable *adj.* unavoidable
infeliz *adj.* unhappy
influencia *f.* influence
informe *m.* report, information; **—s** data
ingenio *m.* ingenuity, cleverness, inventiveness
Inglaterra *f.* England
inglés, –esa *adj. and noun* English; resident of England
ingresado, –a *adj. and p.p.* enrolled, entered
ingresar to enter, enroll
iniciativa *f.* initiative
injusticia *f.* injustice
inmigración *f.* immigration
inmortalizado, –a *adj. and p.p.* immortalized
inmortalizar to immortalize
inquietud *f.* worry
inscripción *f.* inscription
insignificante *adj.* insignificant

inspiración *f.* inspiration
inspirar to inspire
instrucción *f.* instruction
instrumento *m.* instrument
insurrección *f.* insurrection, rebellion
inteligencia *f.* intelligence
intentar to attempt
intento *m.* intent, intention
intercambio *m.* interchange
interés *m.* interest
interesante *adj.* interesting
interesantísimo, –a *adj.* very interesting
interesar to interest, concern; **—se por** be interested in
interior *adj. and noun* interior, inside
internacional *adj.* international
interrumpir to interrupt
intervención *f.* intervention
íntimamente *adv.* intimately
íntimo, –a *adj.* intimate
intrépido, –a *adj.* fearless, daring
introducir to introduce
introdujeron *3rd pers. pl. pret. of* **introducir**
introdujo *3rd pers. sing. pret. of* **introducir**
invadido, –a *adj. and p.p.* invaded
invadir to invade
invasión *f.* invasion
investigar to investigate
invierno *m.* winter
invitar to invite
ir to go; **—se** go away
Isabel Isabella, Elizabeth
isla *f.* island
isleta *f.* small island; *noun* resident of Isleta
Isleta *f. Indian village near Albuquerque, New Mexico*
Isleta del Sur *Spanish settlement near El Paso, Texas*
italiano *m.* Italian

J

jamás *adv.* never, ever
jardín *m.* garden
jefe *m.* chief
jesuíta *adj. and noun* Jesuit
Jiménez, Fortún *one of the men under Hernán Cortés; credited with the discovery of Baja California*
jinete *m.* horseman, rider
José Joseph
joven *adj. and noun* young, youth; *pl.* **jóvenes**
joya *f.* jewel, gem
Juan John
juicio *m.* judgment, opinion
junio *m.* June
juntar to join, gather
junto, –a *adj. and p.p.* united, joined, together
jurar to swear
justicia *f.* justice
justificar to justify
justo, –a *adj.* just
juventud *f.* youth
juzgar to judge

K

Kansas *where the famed Quivira of the Coronado Expedition was; now a state in the United States*
Kino, Eusebio Father Eusebio *Kino* (1644–1711) *Jesuit priest of great fame and enterprise; the father of the cattle industry in the Southwest; builder of the San Xavier del Bac Mission in Arizona*
Kya-Ki-Me *one of the Seven Cities of Cíbola where the Moor Estebanico was killed, according to an Indian legend*

L

la *def. art. f. sing.* the; **— de** *or* **— que** that, the one
labio *m.* lip
Labrador *m.* Labrador (*peninsula on the eastern coast of Canada*)
lado *m.* side, direction; **al — de** beside, by the side of
ladrón *m.* thief
lago *m.* lake
lágrima *f.* tear
Laguna *an Indian village in New Mexico, near Ácoma*
laguna *m. and f.* resident of Laguna
laguna *f.* lagoon
lamentación *f.* lamentation
lana *f.* wool
lanza *f.* lance, spear
lanzar to throw, hurl

largo, –a *adj.* long; **a lo — de** *prep.* along
las *def. art. f. pl.* the; **— de** *or* **— que** those
las *dir. obj. f. pl. pron.* them, you
látigo *m.* whip
latino, –a *adj.* Latin
lavar to wash
le *dir. obj. pron.* him, it, you
le *indir. obj.* (to) him, her, it, you
leer to read
legislativo, –a *adj.* legislative
leído, –a *adj. and p.p. of* **leer** read
lejano, –a *adj.* distant, remote
lejos *adv.* far, far off; **— de** *prep.* far from; **a lo —**, in the distance; **desde —**, from a distance
lentamente *adv.* slowly
lento, –a *adj.* slow
leña *f.* firewood
les *indir. obj. pron.* (*pl. of* **le**) (to) you, them
levantar to raise; **—se** to get up, rise
leyenda *f.* legend, story
libertad *f.* freedom, liberty
libertar to free, deliver
Liberty Bell *cast in England in 1752 for the Pennsylvania statehouse; due to damage in transit, it was recast in Philadelphia in 1753; "Proclaim Liberty throughout the land unto all the inhabitants thereof" were inscribed on the bell in the second casting and were literally carried out on July 8, 1776 when the people were summoned by the ringing of the bell to the first public reading of the Declaration of Independence*
librar to free, deliver; **—se** to take place, wage
libre *adj.* free
limitación *f.* limitation, restriction, limit
límite *m.* limit, boundary
línea *f.* line
Lisboa Lisbon (*capital of Portugal*)
lo *neut. def. art.* the; **— antiguo y — moderno** the old and the new; **— que** that which, what
lo *m. dir. obj. pron.* it, him, you
logrado, –a *adj. and p.p.* succeeded
lograr to attain, obtain
Long Beach *city in southern California*
López, Mariano *Catholic priest at Ácoma during the controversy over the picture of St. Joseph between the citizens of Ácoma and those of Laguna*
López de Cárdenas, García *one of Coronado's scouts during the Coronado Expedition; discoverer of the Grand Canyon of Arizona*
los *def. art. m. pl.* the; **— que** *rel. pron.* those which
Los Ángeles Los Angeles (*the fourth largest city in the United States and the largest city on the Pacific coast*)
lucha *f.* struggle, fight
luchar to fight
luego *adv.* then, soon, next; **desde —**, at once, right away; of course
lugar *m.* place; room; **tener —**, to take place
Luis Louis
Luisiana Louisiana (*state in the southern part of the United States*)
lujo *m.* luxury
luterano *m.* Lutheran
Lutero Luther
luz *f.* light; **ver la —**, to come to light, be published

Ll

llamado, –a *adj. and p.p.* called, named
llamar to call; **—se** be named
llegada *f.* arrival
llegado, –a *adj. and p.p.* arrived
llegar to arrive, reach; **— a ser** become
llenar to fill
lleno, –a *adj.* full, filled
llevado, –a *p.p.* carried, led
llevar to carry, take, lead; **— a cabo** carry out; **—se** carry off
llover (ue) to rain; **— a cántaros** pour
llueve *3rd pers. sing. pres. ind. of* **llover** it rains
lluvia *f.* rain

M

madera *f.* wood
madre *f.* mother
maestro *m.* teacher
mágico, –a *adj.* magic

magnífico, -a *adj.* magnificent, splendid
mahometano, -a *adj. and noun* Mohammedan, one who professes the Mohammedan faith
maíz *m.* maize, Indian corn
majestuosamente *adv.* majestically
majestuoso, -a *adj.* majestic
mal (*used before sing. noun*) = **malo** *adj.* bad
mal *adv.* badly
Málaya Rosía Little Russia (*the name given by the Russians to their colony in Fort Ross, California*)
maldito, -a *adj.* wicked, accursed
malicia *f.* malice
malo, -a *adj.* bad, evil
Mallorca Majorca (*largest of the Balearic Islands, in the Mediterranean*)
mandar to send, order, command
mando *m.* command, rule
manejo *m.* handling, management
manera *f.* manner, way; **de esta —,** in this way; **de otra —,** otherwise
manifestar (**ie**) to manifest, declare
manifiesta(n) *3rd pers. sing.* (*pl.*) *pres. ind. of* **manifestar**
mano *f.* hand; **a —,** by hand; **a —s de** at the hands of
mantener to maintain; **—se** maintain oneself, stay
mantilla *f.* veil, *lace scarf that Spanish women wear over their heads*
mantuvieron *3rd pers. pl. pret. of* **mantener**
mantuvo *3rd pers. sing. pret. of* **mantener**
mañana *f.* morning; **por la —,** in the morning; *adv.* tomorrow
mapa *m.* map, chart
mar *m.* sea; **Mar del Sur** South Sea, Pacific Ocean; **Mar del Norte** North Sea, Atlantic Ocean
maravilla *f.* wonder
maravilloso, -a *adj.* marvelous
marcar to mark, stamp, brand
Marcos de Niza, fray *an Italian priest who was responsible to a large degree for the Coronado Expedition; discoverer of Arizona*
marcha *f.* march, journey
marchar to march, go; **—se** go away
Margil, Antonio *Catholic priest who was greatly responsible for the early missions in Texas*
marinero *m.* sailor
Marruecos Morocco
martes *m.* Tuesday
marzo *m.* March
mas *conj.* but
más *adv.* more; **— vale it is better; a lo —,** at the most; **no . . . — que** only
Matanzas *bay near St. Augustine, Florida*
matar to kill
matrimonio *m.* marriage
mayo *m.* May
mayor *adj.* larger, greater
mayordomo *m.* steward, manager, overseer
mayores *m. pl.* elders
mayoría *f.* great part
me *pron.* me, to me, myself, to myself
mediados: a — de in the middle of
mediano, -a *adj.* moderate, average
mediar to reach about the middle
médico *m.* physician
medio, -a *adj.* middle
medio *m.* middle, means; **en — de** in the midst of; **por — de** by means of, through
mediodía *m.* midday, noon
Mediterráneo *m.* Mediterranean
mejor *adj.* better; **el —,** the best; **a lo —,** when least expected
mejorar to better, improve
melodioso, -a *adj.* melodious
memorable *adj.* memorable
Mendoza, Antonio *viceroy of New Spain during the Coronado Expedition; credited with organizing many expeditions in the Pacific*
Menéndez de Avilés, Pedro *Spanish general and founder of St. Augustine, Florida, in 1565*
menor *adj.* smaller, less, younger
menos *adj. and pron.* less, least; **a lo —,** at least; **echar de —,** to miss; **no poder — de** be unable to help; **por lo —** at least
menos *adv.* except

mensaje *m.* message
mentira *f.* lie, falsehood; **parece —**, it is hard to believe, it can't be true
menudo *adj.* small; **a —**, often
mercancía *f.* merchandise
mercantil *adj.* commercial, mercantile
merecer to deserve
merino *adj.* merino, *pertaining to merino sheep*
mes *m.* month
metal *m.* metal
metrópoli *f.* metropolis
Metropolitan Museum of Fine Arts Museo Metropolitano de Arte *in New York City; one of the outstanding art galleries in the world*
mexicano, -a *adj. and noun* Mexican, resident of Mexico
México *Spanish-American republic south of the United States;* **Ciudad de —**, Mexico City (*capital of the Mexican Republic*)
mezcla *f.* mixture
mezclar to mix
mí *pron. obj. of a prep.* me, myself
miedo *m.* fear; **tener —**, to be afraid
miembro *m.* member
mientras *conj.* while; **— tanto** in the meantime; **— que** while
mil *adj. and noun* thousand, innumerable
milagro *m.* wonder; miracle
militar *adj. and noun* military, soldier
milla *f.* mile
minuto *m.* minute
mío, -a *poss. adj. and pron.* my, mine
mirada *f.* look, glance
misa *f.* mass
miserable *adj.* miserable
misión *f.* mission
misionero *m.* missionary
Misisipí Mississippi (*one of the largest rivers in the United States*)
mismo, -a *adj.* self, same; **ahora —**, right now, at once; **lo —**, the same thing
misterio *m.* mystery
misterioso, -a mysterious
Misuri Missouri (*state in the United States*)
mitad *f.* half, middle
mocasines *m. pl.* moccasins, Indian footwear
moderno, -a *adj.* modern, new
modesto, -a *adj.* modest
modo *m.* way, manner; **de — que** so that; **de todos —s** at any rate
molestado, -a *adj. and p.p.* molested
molestar to molest, annoy
momento *m.* moment; **en aquel —**, at that moment; **por el —**, for the time being
montado, -a *p.p.* mounted; **— a caballo** on horseback
Montalvo, Garcí Rodríguez *Spanish writer of chivalrous tales and author of "Las Sergas de Esplandián"*
montaña *f.* mountain
montar to mount
monte *m.* mountain
Monterey Monterey (*city in California*)
montón *m.* heap
monumento *m.* monument
moqui *adj. and noun* Hopi, *pertaining to Hopi Indians; Indian of the Hopi tribe*
moral *adj.* moral
moreno, -a *adj.* brown, dark, swarthy
morir (ue) to die
morisco, -a *adj.* Moorish
moro *m.* Moor
Morro *see* **El Morro**
mortal *adj. and noun* mortal, human being
mostrar (ue) to show
motivado, -a *p.p.* motivated
motivar to motivate, cause
motivo *m.* motive, reason
mover (ue) to move, stir
movido, -a *p.p.* moved
movimiento *m.* movement
muchacha *f.* girl
muchacho *m.* boy
muchísimo, -a *adj.* very much
mucho, -a *adj. and pron.* much, many
mucho *adv.* much, greatly
mueble *m.* piece of furniture; **—s** furniture
muere(n) *3rd pers. sing. (pl.) pres. ind. of* **morir**

muerte *f.* death
muerto, -a *adj. and p.p. of* **morir** died, dead; *noun* dead person
muestra(n) *3rd pers. sing. (pl.) pres. ind. of* **mostrar**
mujer *f.* woman
mundial *adj.* worldly
mundo *m.* world; **todo el —,** everybody
murieron *3rd pers. pl. pret. of* **morir**
Murillo, Bartolomé Esteban (1617–1682) *great Spanish painter; one of his best known works is "Los Niños de la Concha" (The Children with the Shell)*
murió *3rd pers. sing. pret. of* **morir**
muro *m.* wall
Museo del Prado Prado Gallery *in Madrid; one of the major art museums of Europe; noted for its large collection of paintings by Velázquez and Murillo*
música *f.* music
músico *m.* musician
muy *adv.* very

N

nacer to be born
nacido, -a *adj. and p.p.* born
nacimiento *m.* birth
nación *f.* nation
nacional *adj.* national
nada *indef. pron.* nothing, anything, not at all; — **más que** only
nadie *indef. pron.* nobody
Narváez, Pánfilo de *famous Spanish soldier who lost an eye during his encounter with Cortés in Vera Cruz, Mexico; perished in a shipwreck during his attempt to colonize Florida*
natal *adj.* native
natural *adj.* natural, native
naturaleza *f.* nature; **Naturaleza** Nature
navegante *m.* navigator
navegar to navigate, sail
Navidad *port on the west coast of Mexico*
necesario, -a *adj.* necessary; **todo lo —,** everything necessary
necesidad *f.* necessity, need
necesitar to need
negar (ie) to deny; **—se a** refuse
negocio *m.* business
negro, -a *adj.* black
Neve, Felipe de *onetime governor of California; founder of Los Angeles*
ni *adv. and conj.* neither, nor; — **. . .** — neither . . . nor; **— . . . siquiera** not even
Nicaragua *Central American republic*
ningún (*used before m. sing. noun*) = **ninguno** *adj.* no one, any
ninguno, -a *indef. adj. and pron.* no, no one, none
niña *f.* child, daughter
niño, *m.* child, son; *pl.* children
nivel *m.* level
no *adv.* no, not; — **más** only; **— . . . ni . . . ni,** . . . neither . . . nor; **ya —,** no longer
noble *adj. and noun* noble, distinguished; nobleman
noche *f.* night
nombramiento *m.* appointment
nombrado, -a *adj. and p.p.* named, appointed
nombrar to name, appoint
nombre *m.* name
norte *m.* north
norteamericano, -a *adj. and noun* North American
Northwest Cape *called* **Cabo de Pinos** *by Cabrillo*
nos *pers. pron.* us, to us, ourselves
nosotros *pers. pron.* we, us
notar to notice, note
noticia *f.* notice; **—s** news; **tener —s** to receive news
novecientos *adj.* nine hundred
novela *f.* novel
noventa *adj.* ninety
noviembre *m.* November
novio, -a *m. and f.* sweetheart
nuestro, -a *poss. adj. and pron.* our, ours
Nueva España *f.* Mexico (*during the Spanish colonial period*)
Nueva Galicia *state on the Pacific coast of Mexico during the Spanish colonial period*
nueve *adj.* nine
nuevo, -a *adj.* new; **de —,** again
Nuevo México New Mexico (*state in the southwestern part of the United States*)

Nuevo Reino de Galicia *see* **Nueva Galicia**
número *m.* number
nunca *adv.* never
Núñez Cabeza de Vaca, Álvar *one of the survivors of the Narváez Expedition; the first white man to cross North America; greatly responsible for the Marcos de Niza Expedition and the subsequent Coronado Expedition*
Núñez de Balboa, Vasco *Spanish explorer; discoverer of the Pacific Ocean*

O

o *conj.* or; **o . . . o** either . . . or
objeto *m.* object, purpose
obligación *f.* duty, obligation
obligado, –a *p.p.* obliged; **verse — a** to be compelled to
obligar to oblige, force
obra *f.* work, deed; **— maestra** masterpiece
obrar to work, plot, act
obscuridad *f.* obscurity, darkness
obscuro, –a *adj.* dark
obsequiar to lavish, present
observar to observe
obstáculo *m.* obstacle
obtener to obtain
ocasión *f.* occasion, opportunity
ocasionar to cause
occidental *adj.* western
octubre *m.* October
ocultar to conceal, hide
ocupación *f.* occupation
ocupado, –a *adj. and p.p.* busy, occupied
ocupar to occupy; **—se de** engage one's attention
ocurrir to happen, occur; come to one's head, think of; **se le ocurrió** it occurred to him
ochenta *adj.* eighty
ocho *adj.* eight
ochocientos *adj.* eight hundred
odiar to hate
odio *m.* hatred
oeste *m.* west
oficial *m.* official, officer
oficialmente *adv.* officially
oficio *m.* occupation, trade
ofrecer to offer
oída *f.* hearing; **de —s** by hearsay
oído *m.* ear; *p.p. of* **oír** heard
oír to hear; **— hablar de** hear about
ojo *m.* eye
Oklahoma *state in the United States*
Olvera *an historic street in Los Angeles, California*
olvidado, –a *adj. and p.p.* forgotten
olvidar to forget; **—se de** forget
olvido *m.* forgetfulness, oblivion
omitir to omit
once *adj.* eleven
Oñate, Juan de *Spanish explorer and conqueror; founder of Santa Fe, New Mexico*
opinión *f.* opinion
oponer to oppose; **—se a** object
oportunidad *f.* opportunity, occasion
oportuno, –a *adj.* opportune, convenient
oposición *f.* opposition
opusieron *3rd pers. pl. pret. of* **oponer**
orden *m. or f.* disposal; **aquí me tiene Ud. a sus órdenes** I am at your order, disposal; *f.* order, command; religious or honorary order; *m.* order, system, arrangement
organización *f.* organization
organizar to organize
órgano *m.* organ
orgullo *m.* pride
orgulloso, –a *adj.* proud
origen *m.* origin, source
original *adj.* original
orilla *f.* bank, shore
ornamentación *f.* ornamentation
ornamentar to adorn, ornament
oro *m.* gold
Ortiz, Juan *one of the survivors of the Narváez Expedition; found by Hernando de Soto during his expedition to Florida*
os *pers. pron. fam. pl.* you; **¿— vais?** are you going?
Otermín, Juan de *onetime governor of New Mexico during the Spanish colonial period*
otoño *m.* autumn, fall
otorgado, –a *adj. and p.p.* granted
otorgar to grant
otro, –a *indef. adj. and pron.* other, another, another one

oye(n) *3rd pers. sing. (pl.) pres. ind. of* **oír**
oyó *3rd pers. sing. pret. of* **oír**

P

paciencia *f.* patience
pacífico, -a *adj.* peaceful, pacific
Pacífico *m.* Pacific Ocean
Padilla, Juan *Catholic priest who accompanied the Coronado Expedition and remained in Kansas when Coronado returned to Mexico*
padre *m.* father, priest; **—s** parents
padrenuestro *m.* Lord's prayer
pagano *m.* pagan
país *m.* country
palabra *f.* word
palacio *m.* palace
Palou *Catholic priest; one of the co-workers of Father Serra*
Panquiaco *Indian lad who told Balboa about the Pacific Ocean and the gold of Peru*
para *prep.* for, to, in order to; **— que** so that; **estar —,** to be about to
parada *f.* stop
parar to stop
parecer to seem, appear; **—se a** resemble, look like; **no se parecía en nada** did not resemble . . . at all
parecer *m.* opinion; **a mi —,** in my opinion
parecido, -a *adj.* similar
pared *f.* wall
pariente *m.* relative
parte *f.* part, place; **de — de** in behalf of; **por todas —s** everywhere; **de todas —s** from everywhere; **en gran —,** largely; **la mayor —,** most
particular *adj.* peculiar, private; special
partida *f.* departure, party
partidario, -a *m. and f.* follower
partido *p.p.* left, departed
pasado, -a *adj. and p.p.* past
pasado *m.* past
pasar to pass, spend, happen
Pascua Florida *f.* Easter
paseo *m.* walk; **dar un —,** to take a walk
pasión *f.* passion
pasmado, -a *adj.* astonished
paso *m.* step, pace, way; **— lento** slow pace; **Paso** see **El Paso**
pastoral *adj.* pastoral
patio *m.* court, yard
patria *f.* country, native country
patriota *m.* patriot
patrón *m.* patron, landlord
patrona *f.* landlady
patrono *m.* patron saint; protector
paz *f.* peace
peces *m. pl. of* **pez** fish
pedazo *m.* piece
pedir (i) to ask for, order; **— prestado** borrow
Pedro Peter
peineta *f.* ornamental shell comb
pelear to fight
peligro *m.* danger
peligroso, -a *adj.* dangerous
pelo *m.* hair
pena *f.* pain, sorrow; **no vale la —,** it isn't worth while
pendiente *adj.* hanging; **cuentas —s** unfinished business
penetración *f.* penetration
penetrado, -a *adj. and p.p.* penetrated
penetrar (en) to enter, penetrate
península *f.* peninsula; **Península Ibérica** Iberian Peninsula
penoso, -a *adj.* sad, painful
pensamiento *m.* thought
pensar (ie) to think, intend, expect; **— en** think about
peña *f.* rock
peñón *m.* large rock
peor *comp. adj.* worse
pequeño, -a *adj.* small
perder (ie) to lose
perdido, -a *adj. and p.p.* lost
perecer to perish
perfectamente *adv.* perfectly, very well
perfecto, -a *adj.* perfect
perla *f.* pearl
permanecer to remain
permanencia *f.* duration, stay
permanente *adj.* permanent
permanentemente *adv.* permanently
permiso *m.* permission
permitir to permit, allow, let
pero *coord. conj.* but
perpetuar to perpetuate

persecución *f.* pursuit, persecution
perseguido, -a *adj. and p.p.* pursued
perseguir (**i**) to pursue
persona *f.* person; **—s** people
personal *adj.* personal, private
personalmente *adv.* personally
pertenecer to belong
Perú (**el**) Peru (*country in South America*)
pesado, -a *adj.* heavy, hard
pesar *m.* sorrow, grief; **a — de** in spite of
peso *m.* weight
Petra *in Majorca; the birthplace of Father Serra*
pide(**n**) *3rd pers. sing.* (*pl.*) *pres. ind. of* **pedir**
pidieron *3rd pers. pl. pret. of* **pedir**
pidió *3rd pers. sing. pret. of* **pedir**
pie *m.* foot; **a —**, on foot
piedra *f.* stone
piel *f.* skin
piensa(**n**) *3rd pers. sing.* (*pl.*) *pres. ind. of* **pensar**
piloto *m.* pilot
pino *m.* pine, pine tree
pintor *m.* painter, artist
pirata *m.* pirate
piso *m.* floor, story
Pizarro, Francisco *Spanish conqueror and colonizer of Peru*
placer *m.* pleasure
plan *m.* plan, scheme
plano, -a *adj.* plain, smooth
plata *f.* silver
plausible *adj.* plausible
plaza *f.* plaza, square
pleno, -a *adj.* full; **a plena vista** in full view
población *f.* town, population; **Población del Cielo** City in the Sky (*name given to Ácoma*)
poblado, -a *adj.* peopled, populated
poblador *m.* colonist, settler
poblar (**ue**) to people, populate
pobre *adj.* poor, unfortunate
poco, -a *adj. and adv.* little, few; **— a —**, little by little; **— después** a little later; **hace —**, a short time ago
poder (**ue**) to be able; **no — menos de** to be unable to help
poder *m.* power
poderío *m.* power, authority
poderoso, -a *adj.* powerful, great
podría(**n**) *3rd pers. sing.* (*pl.*) *conditional of* **poder**
poema *m.* poem
poeta *m.* poet
Point Loma *near San Diego, California; site of the Cabrillo Monument*
Ponce de León, Juan (1460–1521) *Spanish explorer and conqueror of Puerto Rico and discoverer of Florida*
poner to put, place; **— fin** end; **—se a** begin; **—se en camino** set out; **—se** + *adj.* become + *adj.*
Popé *a Tewa medicine man who led the rebellion against the Spaniards in New Mexico in 1680*
por *prep.* by, for, on, in, through, as; **— aquí** around here; **— eso** therefore; **— esto** for this reason; **¿— qué?** *interr. pron.* why?
Porciúncula *Los Angeles River; upon the banks of this river Los Angeles was founded*
porque *subord. conj.* because
Portolá, Gaspar de *onetime governor of California; during the Portolá Expedition to California one of his captains discovered the San Francisco Bay*
portugués, -esa *adj. and noun* Portuguese, native of Portugal
posada *f.* hotel
poseer to possess
posesión *f.* possession
Posesión *island off California where Cabrillo died; now called San Miguel Island*
posible *adj.* possible; **todo lo —**, all possible; everything possible
posición *f.* position, place
práctica *f.* practice, custom
práctico, -a *adj.* practical
precioso, -a *adj.* beautiful, precious
precipicio *m.* precipice, overhanging cliff
precipitar(**se**) to hasten, rush, plunge
precisamente *adv.* precisely
predicar to preach
pregunta *f.* question; **hacer una —**, to ask a question
preguntar to inquire, ask
prehistórico, -a *adj.* prehistoric, ancient

premio *m.* prize
prenda *f.* pledge, gift; — **de vestir** article of clothing
preocupado, -a *adj. and p.p.* preoccupied, worried
preocupar(se) to concern oneself, worry
preparación *f.* preparation
preparado, -a *adj. and p.p.* prepared
preparar to prepare
preparativo *m.* preparation
presenciar to witness
presentado, -a *adj. and p.p.* presented
presentar to present; **—se** appear
presidente *m.* president
presidio *m.* fortress
prestado, -a *adj. and p.p.* lent; **pedir —,** to borrow
prestar to lend, loan
pretender to solicit, apply for
pretendiente *m.* suitor, admirer
pretexto *m.* pretext
primavera *f.* spring
primer (*used before m. sing. noun*) = **primero** *adj.* first
primero, -a *adj. and pron.* first, first one
primitivo, -a *adj.* primitive
primoroso, -a *adj.* fine, graceful, elegant
principal *adj. and noun* principal, elder
principio *m.* beginning; **al —,** at the beginning; **a —s de** at the beginning of
prisionero, -a *adj. and noun* captive, prisoner
privación *f.* want, privation
privilegio *m.* privilege
probablemente *adv.* probably
procesión *f.* procession
proclamar to proclaim, promulgate
procurar to try, manage
producir to produce
productor, -a *adj. and noun* producing, producer
produjeron *3rd pers. pl. pret. of* **producir**
produjo *3rd pers. sing. pret. of* **producir**
profesar to profess
profundo, -a *adj.* profound, deep
prohibir to forbid, prohibit
prólogo *m.* prologue
prolongación *f.* prolongation
prolongar to prolong
prometer to promise
prometido, -a *adj. and p.p.* promised; *noun* sweetheart, fiancé, fiancée
prominente *adj.* prominent
promulgado, -a *adj. and p.p.* promulgated
promulgar to promulgate, proclaim
pronto *adv.* promptly, soon; **de —,** suddenly; **por lo** *or* **de —,** for the present; **tan — como** as soon as
propicio, -a *adj.* propitious, fortunate, favorable
propietario *m.* proprietor, owner
propio, -a *adj.* own, proper, same
proporción *f.* proportion
proporcionado, -a *adj. and p.p.* given, furnished
proporcionar to give, furnish
propósito *m.* aim, purpose, design; **a —,** by the way, apropos
prosperar to prosper
prosperidad *f.* prosperity
protección *f.* protection
proteger to protect
protestante *m. and f.* Protestant
protestantismo *m.* Protestantism
provecho *m.* benefit, advantage
provechoso, -a *adj.* advantageous
provenir to arise from, originate in
provino *3rd pers. sing. pret. of* **provenir**
provisión *f.* provision, food
próximo, -a *adj.* next, nearest
proyectado, -a *adj.* projected, planned
proyecto *m.* plan, project
prudente *adj.* prudent
prueba *f.* proof, test
pudiendo *ger. of* **poder**
pudieron *3rd pers. pl. pret. of* **poder**
pudo *3rd pers. sing. pret. of* **poder**
pueblo *m.* town, village, people, nation
Pueblo de Nuestra Señora la Reina de los Ángeles *see Los Angeles*
puede(n) *3rd pers. sing. (pl.) pres. ind. of* **poder**
puente *m.* bridge, deck of ship
puerta *f.* door, gate, entrance
Puerta de Oro *f.* Golden Gate

(*name applied to San Francisco Bay*)
puerto *m.* port
Puerto Rico *island in the Caribbean belonging to the United States*
pues *adv. and conj.* well, then, since, for; **— bien** well, well then
puesto, –a *adj. and p.p. of* **poner** placed; **— que** since
puesto *m.* place, booth; position, post
punto *m.* point, place, spot
puñado *m.* handful
puño *m.* fist
puramente *adv.* purely, merely
puro, –a *adj.* pure
pusieron *3rd pers. pl. pret. of* **poner**
puso *3rd pers. sing. pret. of* **poner**

Q

que *rel. pron.* who, which, that; **lo —**, that which, what
que *conj.* because, that, than
¿ qué ? *interrog. adj. and pron.* what? which? what a! how! **¡ — cosa más extraña !** what a coincidence! how strange!
quedar to remain; **—se** remain, stay
queja *f.* complaint, grudge
quejar(se) to complain
quemado, –a *adj. and p.p.* burned
quemar to burn
querer (ie) to wish, want; **— decir** mean
quien *rel. pron.* who, whom, which, that
¿ quién ? *interrog. pron.* who? whom?
quiere(n) *3rd pers. sing. (pl.) pres. ind. of* **querer**
quince *adj.* fifteen
quinientos *adj.* five hundred
quiso *3rd pers. sing. pret. of* **querer**
quitar to take away, remove
Quivira *the land of fabulous wealth sought by Coronado, in the present state of Kansas*
quizás *adv.* perhaps

R

racial *adj.* racial
rama *f.* branch
Ramírez, Juan *Catholic priest who introduced Christianity to the inhabitants of Ácoma*
ranchería *f. Indian hamlet in California*
ranchero *m.* rancher
rancho *m.* ranch
rápidamente *adv.* rapidly
rapidez *f.* rapidity, speed
rápido, –a *adj.* rapid, fast
raro, –a *adj.* rare; **nada de raro** nothing strange
rasgo *m.* feature, trait
rato *m.* awhile, a short time
raza *f.* race
razón *f.* reason; **con —**, rightly; **tener —**, to be right; **gente de —**, *white people, to distinguish them from those of Indian or mixed blood in Spanish California*
real *adj.* royal; **Camino Real** King's Highway; *the highway that linked the California missions*
realizar realize, fulfill, make real
rebelar to rebel
rebelde *m. and f.* rebel
recibir to receive, meet
recién *adv.* recently, newly
reciente *adj.* recent, new
recientemente *adv.* recently, lately
reciprocar to reciprocate
recitar to recite
reclamar to reclaim, claim, demand
recobrar to recover
recoger to pick up
recompensa *f.* compensation, reward, recompense
reconocer to recognize
reconstruido, –a *adj. and p.p.* reconstructed
recordar (ue) to recall
recorrido, –a *p.p.* travelled, traversed, gone over
recreo *m.* enjoyment; **lugar de —**, resort
recuerda(n) *3rd pers. sing. (pl.) pres. ind. of* **recordar**
recuerdo *m.* reminder, souvenir
rechazado, –a *adj. and p.p.* repelled, rejected
rechazar to repel, repulse, reject
reducido, –a *adj. and p.p.* reduced
reducir to reduce
redujo *3rd pers. sing. pret. of* **reducir**

reedificar to rebuild, reconstruct, restore
reemplazar to replace
referir (**ie**) to refer, relate; **—se** refer (to)
refiere(n) *3rd pers. sing.* (*pl.*) *pres. ind. of* **referir**
reforzar (**ue**) to reenforce, strengthen
refrán *m.* proverb, saying
refugiarse to take refuge
regado, –a *p.p.* sprinkled, showered
regalado, –a *adj. and p.p.* presented, given as a gift
regalar to present, give a gift
regalo *m.* gift, present; enjoyment
regar (**ie**) to water, sprinkle, irrigate
régimen *m.* regime, rule
región *f.* region
reglamento *m.* ordinance, rules and regulation
regresar to return
regreso *m.* return; **camino de —**, return trip; **estar de —**, to be returning, be on the way back
reina *f.* queen
reino *m.* kingdom
reír (**i**) to laugh; **—se de** laugh at
relación *f.* relation; narrative
relacionado, –a *p.p.* related; **— con** related to
relativo, –a *adj.* relative
relato *m.* story, narrative, account
religión *f.* religion
religioso, –a *adj.* religious
relucir to shine, glisten
remedio *m.* remedy
repente *m.* sudden movement; **de —**, suddenly
repentino, –a *adj.* sudden, unexpected
repetir (**i**) to repeat
repique *m.* chime
repito *1st pers. sing. pres. ind. of* **repetir**
reposar to rest
representante *m. and f.* representative
reproducción *f.* reproduction
república *f.* republic
requerir (**ie**) to require, need
reservado, –a *adj. and p.p.* reserved
resistencia *f.* resistance
resistir to resist
resolución *f.* resolution, decision, determination
resolver (**ue**) to resolve, determine
respecto *m.* relation; proportion; **con — a** with regard to
respetar to respect
respeto *m.* respect; veneration
resplandeciente *adj.* resplendent, shining
responder to reply
respuesta *f.* reply
restauración *f.* restoration
restituido, –a *p.p.* restored
restituir to restore
restituyó *3rd pers. sing. pret. of* **restituir**
resto *m.* rest, remainder; **—s** remains
restricción *f.* restriction, limitation
resuelto *adj. and p.p. of* **resolver** resolved, firm
resulta *f.* result
resultado *m.* result; **dar por —**, to result in
resultar to result
retardar to retard, delay
retener to retain
retiene(n) *3rd pers. sing.* (*pl.*) *pres. ind. of* **retener**
retirar(se) to retire, withdraw
retiro *m.* retreat
retrato *m.* portrait
reunido, –a *p.p.* gathered, collected
reunidos *m. pl.* guests, crowd
reunir to reunite; **—se** get together, meet, assemble
revelar to reveal, show
rey *m.* king
Rezánof, Nikolái Petróvich *a Russian nobleman who was responsible for the Russian colony in northern California*
rezar to pray
Ribaut, Jean *French Huguenot, protector of the French colony in Florida; defeated by the Spaniards under Menéndez*
rico, –a *adj. and noun* rich, wealthy
rígido, –a *adj.* rigid, stern, stiff
río *m.* river
Río Grande *river on the boundary between Texas and Mexico*
Río San Antonio San Antonio River (*in Texas*)

riqueza (*usually pl.*) *f.* riches, wealth
risa *f.* laughter
Rivera, Diego (1886 —) *outstanding Mexican painter; best known for his murals.*
robar to steal, rob
robusto, -a *adj.* robust, strong
rodeado, -a *adj. and p.p.* surrounded
rodear to surround
rodeo *m.* roundup, rodeo
rodilla *f.* knee
Rodríguez Cabrillo, Juan *Portuguese navigator in the service of Spain; discoverer of San Diego, California, in 1542*
rogar (**ue**) to implore, entreat
romántico, -a *adj.* romantic
romper to break
ropa *f.* clothes
roqueño, -a *adj.* rocky
rostro *m.* face
roto, -a *adj. and p.p. of* **romper** broken
ruego *1st pers. sing. pres. ind. of* **rogar**
ruego *m.* entreaty, plea
ruido *m.* noise, clamor
rumbo *m.* course, direction; **sin — fijo** aimlessly; (**con**) **— a** in the direction of; on the way to
rumor *m.* rumor, story
Rusia Russia
ruso, -a *adj. and noun* Russian; resident of Russia
ruso-americano, -a *adj. and noun* Russian-American; **Compañía Ruso-Americana** Russian-American Trading Company
ruta *f.* route

S

saber to know, learn, know how
sacar to extract, take out
sacerdote *m.* priest
sacrificio *m.* sacrifice
sagrado, -a *adj.* sacred
sala *f.* room, hall; **Sala de la Fama** Hall of Fame
salida *f.* departure
salir to go out, leave; **— a luz** appear, be published
saltar to leap, jump
salud *f.* health
saludar to greet
salvado, -a *adj. and p.p.* saved
salvaje *adj. and noun* savage
salvar to save
salvo, -a *adj.* safe
san (*used before m. sing. noun except before names beginning with* **Do** *or* **To**) = **santo** *adj.* saint
San Agustín St. Augustine (*city in Florida; the first city in the United States*)
San Antonio de la Isleta *mission about twelve miles south of Albuquerque, New Mexico*
San Antonio de Valera *mission near San Antonio, Texas; better known as The Álamo*
San Carlos de Carmelo *mission in California; the residence of Father Junípero Serra*
San Clemente *small island off the California coast; discovered by Cabrillo*
San Diego *bay in southern California; discovered by Cabrillo in 1542;* **— — de Alcalá** *the first mission built in California*
San Francisco *city in California;* **— — de Asís** *St. Francis of Assisi; founder of the Franciscan Order; the name of the mission in San Francisco, California*
San Gabriel *mission in southern California, near Los Angeles*
San José St. Joseph (*city in California*)
San José de Aguayo *mission in Texas*
San Lúcar *port in Spain, the embarkation point of Hernando de Soto*
San Luis de Misuri St. Louis, Missouri
San Miguel St. Michael (*the island where Cabrillo died*); **Iglesia de — —** St. Michael Church *the oldest church in use in the United States; situated in Santa Fe, New Mexico*
San Salvador *one of the ships used by Cabrillo on his Pacific exploration*
San Sebastián *Spanish colony in the northern part of Colombia during the Spanish colonial period*

San Xavier del Bac *mission near Tucson, Arizona; founded by Father Eusebio Kino*
sangre *f.* blood
sangriento, -a *adj.* bloody
sanguinario, -a *adj.* sanguinary, bloody
sanidad *f.* sanitation
sano, -a *adj.* sound, safe; **sana y salva** safe and sound
Santa Bárbara *city in California; the site of one of the most beautiful missions in California*
Santa Catalina *island off the coast of southern California; discovered by Cabrillo*
Santa Cruz *name applied by Cortés to California before he himself changed it to the present name*
Santa Fe *capital of New Mexico; second oldest city in the United States*
Santa María la Antigua del Darién *Spanish colony established in Colombia by Balboa*
Santa Mónica *bay in southern California; visited by Cabrillo in 1542*
santificado, -a *adj.* sanctified, consecrated
santo, -a *adj. and noun* saintly, holy; saint
saqueado, -a *p.p.* ransacked, plundered
satisfacer to satisfy
se (*used before* **la, le, lo, las, los**) = **le** *or* **les** *obj. pron.* to him, her, you, them
se *refl. pron.* himself, herself, yourself, themselves
sé *1st pers. sing. pres. ind. of* **saber**
sebo *m.* tallow, suet
secreto *m.* secret
secularización *f.* secularization; *act of removing ecclesiastic control over property*
secundario, -a *adj.* secondary
sed *f.* thirst; **tener —,** to be thirsty
seda *f.* silk
seguida *f.*: **en —,** immediately
seguir (**i**) to follow, continue; — **adelante** go on
según *subord. conj. and prep.* according to
segundo, -a *adj.* second
seguro, -a *adj.* secure, certain, sure; **estar — de que** to be certain that
seguro *adv.* surely; **— que sí** of course
seis *adj.* six
seiscientos, -as *adj.* six hundred
selección *f.* selection, choice
semana *f.* week
semejanza *f.* resemblance
semilla *f.* seed
seminola *adj. and noun* Seminole Indian; *pertaining to Seminole Indians*
sencillo, -a *adj.* simple, easy
sentimiento *m.* sentiment, feeling
sentir (**ie**) to feel; regret; **—se** feel (well, strong, etc.)
señalar to mark
señor *m.* master, sir, gentleman, Mr.
señora *f.* mistress, lady, madam, Mrs.
separado, -a *adj. and p.p.* separate, separated
separar to separate
septiembre *m.* September
sepulcro *m.* tomb, sepulchre
sepultado *p.p.* buried
ser to be; **a no — por** if it were not for; **llegar a —,** become
ser *m. and f.* being; **— humano** human being
serga *f.* exploit; **Las Sergas de Esplandián** *a chivalrous novel by Garcí Rodríguez de Montalvo; said to be responsible for the name California*
sermón *m.* sermon
servicio *m.* service
servir (**i**) to serve, be of use; **— de** serve as (for); **— para** be good for; **—se de** make use of, use
Serra, Junípero Father Junípero Serra *Catholic priest who was greatly responsible for the missions in California*
sesenta *adj.* sixty
setecientos, -as *adj.* seven hundred
setenta *adj.* seventy
severo, -a *adj.* severe, serious
Sevilla *f.* Seville *capital of a province by the same name in southern Spain*
sexto, -a *adj.* sixth
si *subord. conj.* if, whether
sí *adv.* yes; indeed

Siberia *f.* Siberia *large Russian territory in Asia*
sido *p.p. of* **ser** been
siempre *adv.* always
siendo *ger. of* **ser**
sierra *f.* sierra, mountain range
siesta *f.* nap, sleep taken after dinner
siete *adj.* seven
Siete Ciudades de Cíbola, las the Seven Cities of Cíbola; *fabulously wealthy cities; the search for the wealth of Cíbola resulted in the Coronado Expedition*
siglo *m.* century
Siglo de Oro Golden Age; *in Spanish literature and art the sixteenth and seventeenth centuries*
significado *m.* meaning, significance
significar to mean, signify
sigue(n) *3rd pers. sing. (pl.) pres. ind. of* **seguir**
siguiente *adj.* following, as follows, next
siguieron *3rd pers. pl. pret. of* **seguir**
siguió *3rd pers. sing. pret. of* **seguir**
silencio *m.* silence
silenciosamente *adv.* silently
simbolizar to symbolize
simple *adj.* simple
Simpson, Sir George *famous English traveler who visited California in 1842; he brought the news that Rezánof died in an accident in Siberia*
sin *prep.* without; — **duda** no doubt; — **embargo** nevertheless
Sinaloa *state in northwestern Mexico*
sincero, –a *adj.* sincere
singular *adj.* singular, unique
sinnúmero *m.* countless number
sino *conj.* but, except; **no sólo . . .** —, not only . . . but
siquiera *conj.* even; **ni . . . —**, not even . . .
sirve(n) *3rd pers. sing. (pl.) pres. ind. of* **servir**
sirvió *3rd pers. sing. pret. of* **servir**
sistema *m.* system
sitio *m.* place, site, location
situación *f.* situation
situado, –a *adj. and p.p.* situated, placed
sobre *prep.* over, above, about, on, besides
sobrenatural *adj.* supernatural
sobresalir to surpass
sobreviviente *m. and f.* survivor
social *adj.* social, civic
sol *m.* sun
solamente *adv.* only; **no — . . . sino** not only . . . but
soldado *m.* soldier
solemne *adj.* solemn, impressive
solemnidad *f.* solemnity, impressiveness
soler (ue) to be accustomed, be used to
solitario, –a *adj.* solitary, lonely
solo, –a *adj.* alone, single, solitary
sólo *adv.* only
sombra *f.* shade, darkness, shadow; **a la —**, in the shadow
sombrero *m.* hat
someter to subject, subdue; **—se a** comply, submit
sometido, –a *adj. and p.p.* subjected
son *3rd pers. pl. pres. ind. of* **ser**
son *m.* sound
sonar to ring, sound
sonido *m.* sound
Sonoma *city in northern California*
Sonora *state in northwestern Mexico*
sonoro, –a *adj.* sonorous, clear, melodious
soñador *m.* dreamer
soñar (ue) to dream; **— con** dream about
soñoliento, –a *adj.* sleepy, dreamy
soplo *m.* breath, puff
sorpresa *f.* surprise
sortear to sort
sospecha *f.* suspicion, mistrust
sospechar to suspect
sotana *f.* cassock (*outer robe of priests*)
Soto, Hernando de *Spanish explorer and conqueror; explorer of the Mississippi River*
soy *1st pers. sing. pres. ind. of* **ser**
Statuary Hall *in Washington, D.C., reserved for statues of the greatest American patriots*
St. John's River *river in Florida, United States*
su *poss. adj.* his, her, its, their, your
subir to go up, climb, get on board

subterráneo, –a *adj.* subterranean, underground
suceder to happen, follow
sucesión *f.* succession, series
suceso *m.* event
sudoeste *m.* southwest
suele *3rd pers. sing. pres. ind. of* **soler; — decirse** it is customarily said
suelo *m.* ground, soil, floor
suena(n) *3rd pers. sing. (pl.) pres. ind. of* **sonar**
sueño *m.* sleep, dream; **tener —,** to be sleepy
suerte *f.* chance, lot, fate; **¡ qué — más mala !** what bad luck ! **echar —s** to draw lots; **distribuir —s** distribute lots
suficiente *adj.* sufficient
sufrido, –a *adj. and p.p.* patient, enduring, suffered
sufrimiento *m.* suffering
sufrir to suffer, endure, bear
superficie *f.* surface
superior, –ora *adj.* superior; **madre superiora** mother superior
supervisión *f.* supervision
supieron *3rd pers. pl. pret. of* **saber**
suplicar to beg, entreat, plead
suplir to supply
supuesto *adj. and p.p. of* **suponer** supposed, alleged; **por —,** of course; **— que** allowing that, since
sur *m.* south
sustituido, –a *adj. and p.p.* replaced
suyo, –a *poss. adj. and pron.* his, her, their, your, its

T

tal *adj. and pron.* such, such a, such ones
tamaño *m.* size
también *adv.* also, too
Tampa *city in Florida*
tampoco *adv.* neither, not either
tan *adv.* so, as; **— pronto como** as soon as
tanto, –a *indef. adj. and pron.* so much, as much; **entre —,** in the meantime, meanwhile; **por lo —,** therefore; **— . . . como** both . . . and
Taos *city in New Mexico*
tarde *adv.* late; **más —,** later
tarde *f.* afternoon; **por la —,** in the afternoon
tarea *f.* task, duty
teatro *m.* theater
techo *m.* roof, ceiling
tema *m.* subject
temblor *m.* earthquake
temer to fear
tempestad *f.* tempest, storm
temporada *f.* season
temporal *adj.* temporal, worldly
temprano *adv.* early
temprano, –a *adj.* early
tendrá *3rd pers. sing. fut. of* **tener**
tendría *3rd pers. sing. cond. of* **tener**
tener to have, hold; **— afición a** be fond of; **— hambre** be hungry; **— sed** be thirsty; **— ganas de** desire; **— que** + *inf.* to have to . . .; **— razón** be right
Tennessee *state in the southern part of the United States*
tentativa *f.* attempt
tercer (*used before m. sing. noun*) = **tercero** *adj.* third
tercero, –a *adj.* third
terciopelo *m.* velvet
terminado, –a *p.p.* finished, ended
terminar to finish, end
término *m.* end, limit, term
terreno *m.* soil, earth, land, ground
territorio *m.* territory
tesoro *m.* treasure
testigo *m.* witness
testimonio *m.* testimony, proof
texano, –a *m. and f.* Texan
Texas Texas (*state in the United States*)
tiempo *m.* time, weather; **con el —,** in time; **¿ cuánto — hace ?** how long since ?
tienda *f.* store
tiene(n) *3rd pers. sing. (pl.) pres. ind. of* **tener; aquí me tienen ustedes a sus órdenes** here I am at your service
tierno, –a *adj.* mild, tender, delicate
tierra *f.* earth, land, ground, realm
Tiguex *in New Mexico, now called Bernalillo; an important point in the Coronado Expedition*
típico, –a *adj.* typical
tirano *m.* tyrant
tirar to throw, pull

tocante *adj.* touching; — **a** concerning, in regard to
tocar to touch, ring, play an instrument; —**le a uno** fall into one's lot
todavía *adv.* yet, still; — **no** not yet
todo, –a *indef. adj. and pron.* all, every, everything; — **el mundo** everybody; — **lo posible** all possible, everything possible
tomar to take, assume
tópico *m.* topic
toque *m.* sound, peal, ring
toro *m.* bull
torre *f.* tower
tortuoso, –a *adj.* crooked, winding
trabajador, –a *m. and f.* worker
trabajar to work
trabajo *m.* work
traer to bring, carry
trágico, –a *adj.* tragic
traición *f.* treason, treachery
traicionero, –a *adj.* treacherous; **lo —s que eran** how treacherous they were
traído, –a *adj. and p.p. of* **traer** brought, carried
traidor, –a *m. and f.* traitor
traje *m.* suit, garb, costume
trajeron *3rd pers. pl. pret. of* **traer**
trajo *3rd pers. sing. pret. of* **traer**
tranquilamente *adv.* quietly, peacefully
tranquilidad *f.* tranquility, peace of mind, quiet
transatlántico, –a *adj.* transatlantic
transcurrir to elapse, pass
transformar to transform
tras *prep.* after, behind
trasladar to change, move
tratado, –a *adj. and p.p.* treated
tratar to treat, endeavor; — **de** try, attempt; —**se de** be a question of
través: a — de across, over, through
trece *adj.* thirteen
treinta *adj.* thirty
tres *adj.* three
trescientos, –as *adj.* three hundred
tribu *f.* tribe
tribunal *m.* tribunal, court of justice
tripulante *m.* sailor, member of crew of a ship
triunfo *m.* triumph
tronco *m.* trunk of a tree or animal
tropa *f.* troops, soldiers
trozo *m.* bit
Tubac *fort in Arizona; the starting place of the Bautista de Anza Expedition across the Sierras to California*
Tucsón Tucson *city in Arizona*
turco *m.* Turk; **el Turco** *the Indian guide who led Coronado to Kansas*
tuvieron *3rd pers. pl. pret. of* **tener**
tuvo *3rd pers. sing. pret. of* **tener**

U

u (*used before words beginning with* **o** *or* **ho**) = **o** *conj.* or
último, –a *adj.* last; **por —,** at last, finally
Ulloa, Francisco de *assistant of Cortés who discovered that California was not an island*
un, una *indef. art.* a, an, one
único, –a *adj.* single, alone, only
unidad *f.* unity
unido, –a *adj.* united, joined; **Estados Unidos** United States
uno, –a *adj.* one; *pl.* some
uña *f.* nail, claw
Urabá *gulf in northern Colombia*
usar to use, employ
uso *m.* use
usted *pers. pron.* you
útil *adj.* useful
uva *f.* grape

V

va(n) *3rd pers. sing. (pl.) pres. ind. of* **ir**
vaca *f.* cow
vacilar to hesitate
vagar to wander, roam
vais *2nd pers. (fam.) pl. pres. ind. of* **ir** you go, are going
valer to be worth; **no vale la pena** it isn't worth while; **más vale** it is better
Valerianos *see* **Fuca, Juan de**
valiente *adj.* valiant, brave
valioso, –a *adj.* valuable, precious
valor *m.* valor, value, worth

valle *m.* valley
vamos *1st pers. pl. pres. ind. of* **ir;** — **a** + *inf.* let's + *inf.;* **¡allá vamos!** let's go there! — **al cuento** let's get to the story
vano, -a *adj.* vain, useless; **en —,** in vain
vaquero *m.* cowboy
Vargas, Diego de *governor of New Mexico; reconquered that territory in 1692*
vario, -a *adj.* various, several, some
vasija *f.* utensil
vasto, -a *adj.* vast, immense
Vázquez de Coronado, Francisco *famous Spanish explorer and governor of* **Nuevo Reino de Galicia**
ve(n) *3rd pers. sing.* (*pl.*) *pres. ind. of* **ver**
veces *f. pl.* times; **a —,** at times; **varias —,** several times; **muchas —,** many times
vecino, -a *adj.* near, neighboring, adjoining
vecino, -a *m. and f.* neighbor
Vega y Carpio, Félix Lope de (1562–1635) *one of the greatest and most prolific Spanish dramatists and poets; author of "El Mejor Alcalde el Rey"*
vegetación *f.* vegetation
vehículo *m.* vehicle
veía(n) *3rd pers. sing.* (*pl.*) *imperf. ind. of* **ver**
veinte *adj.* twenty
veinticinco (**veinte y cinco**) *adj.* twenty-five
veintiuno, -a (**veinte y uno, -a**) *adj.* twenty-one
vela *f.* sail; **hacerse a la —,** to set sail
Velázquez, Diego de Silva (1599–1660) *great Spanish painter, "Las Meninas" (The Maids of Honor) and "Los Borrachos" (The Drunkards) are among his masterpieces*
vemos *1st pers. pl. pres. ind. of* **ver**
vencer to conquer, overcome
vendedor *m.* seller, trader, vender
vender to sell
vendido, -a *adj. and p.p.* sold
venerable *adj.* venerable
veneración *f.* veneration, worship
venerar to respect, worship
vengar to avenge; **—se de** take revenge on
venir to come
ventaja *f.* advantage
ventana *f.* window
venturoso, -a *adj.* fortunate, successful, prosperous
veo *1st pers. sing. pres. ind. of* **ver**
ver to see; **no tener nada que — con** not to have anything to do with; **—se obligado a** be obliged, obligated to; **— la luz** be published, come to light
verano *m.* summer
verdad *f.* truth; **es —,** it is true; **en —,** in fact
verdaderamente *adv.* truly, truthfully, really
verdadero, -a *adj.* true, real, truthful
verde *adj.* green
verificar to verify, confirm, prove; **—se** take place
vestido, -a *adj. and p.p.* dressed, attired
vestido *m.* dress, garb
vestigio *m.* vestige, relic
vestir to dress
vez *f.* time, occasion; **a la —,** at the same time; **algunas veces** sometimes; **de una —,** all at once; **de — en cuando** from time to time; **en — de** instead of; **tal —,** perhaps; **una —,** once; **una — al año** once a year; **una — más** once again; **por primera —,** for the first time; **otra —,** again; **la — pasada** last time
viajar to travel
viaje *m.* voyage, journey; **hacer un —,** to take a trip
viajero *m.* traveler
Vicente Vincent
víctima *f.* victim
Victoria *one of the ships Cabrillo used in his explorations in the Pacific*
vida *f.* life
vidrio *m.* glass, window glass
viejo, -a *adj. and noun* old, aged; old man *or* woman
viene(n) *3rd pers. sing.* (*pl.*) *pres. ind. of* **venir**
viento *m.* wind
Villa Branciforte *the third pueblo*

established by the Spaniards in California

vinieron *3rd pers. pl. pret. of* **venir**

vino *3rd pers. sing. pret. of* **venir**

vino *m.* wine

virgen *adj. and noun* virgin, new; **tierra —**, virgin soil

virrey *m.* viceroy

virtud *f.* virtue

visión *f.* vision, sight

visita *f.* visit

visitador *m.* visitor; **— general** inspector general

visitar to visit

vista *f.* sight, landscape

visto, –a *adj. and p.p. of* **ver** seen; **por lo —**, evidently

víveres *m. pl.* provisions, food

vivienda *f.* dwelling place, house

vivir to live

vivo, –a *adj. and noun* alive, quick, living

Vizcaíno, Sebastián *Spanish navigator and explorer; made extensive explorations along the California coast line; discovered Monterey*

volver (ue) to return, go back; **— a** + *inf.* repeat an action; **—se** turn back, turn around; become; **—se** + *adj.* become + *adj.*

voy *1st pers. sing. pres. ind. of* **ir**

voz *f.* voice; **en — alta** aloud; **a — en grito** shouting; **viva —**, by word of mouth

vuelto, –a *p.p. of* **volver**

vuelve(n) *3rd pers. sing. (pl.) pres. ind. of* **volver**

W

Wáshington, George *first president of the United States*

Wáshington, D.C. *capital city of the United States*

Y

y *conj.* and

ya *adv.* already, now, indeed; **— no** no longer; **— que** as long as, since; now that

yanqui *adj. and noun* Yankee; *name applied to a resident of New England; nickname applied to any resident of the United States*

yo *pers. pron.* I

Z

Zaldívar, Juan de *captain in Juan de Oñate's army who was killed in Ácoma;* **Vicente —**, *brother of Juan who avenged the death of his brother and subdued Ácoma*

zanja *f.* ditch, irrigation ditch

zapato *m.* shoe

zuñi *adj. and noun* Zuñi, *pertaining to the Zuñi tribe; an Indian tribe of Arizona and New Mexico; a member of the Zuñi tribe*